D1231899

Étienne Davodeau

Lulu
Femme Nue

Futuropolis

Ce récit est une fiction. Toute ressemblance avec des événements arrivés dans votre vie ou dans celle de vos proches relèverait donc du pur hasard (qui est un sacré farceur).

É. D.

DE CE QUI EST ARRIVÉ À LULU, JE NE PEUX VOUS RACONTER QUE CE QUE JE SAIS.

ET CE SOIR, JE NE SAIS PAS COMMENT ON EN EST ARRIVÉS LÀ...

HO, XAVIER...
ATTENDS. JE FINIS DE COUCHER LES MÔMES.

TU AS BESOIN D'AIDE, MORGANE ?
C'EST MES FRANGINS, J'AI SEIZE ANS, ON EST CHEZ MOI, C'EST BON.
PAS ÉTONNANT QU'ILS N'ARRIVENT PAS À DORMIR...

VOUS VOUS ÊTES LAVÉ LES DENTS ? HOP ! AU LIT !
NAAAAN !
ON VIENT JUSTE DE COMMENCER UN LIVRE !

D'ACCORD. VOUS LISEZ UN PEU. MOI, JE REDESCENDS DISCUTER AVEC LES COPAINS DE PAPA ET MAMAN. JE VIENDRAI ÉTEINDRE.

ME VOILÀ. ON T'ÉCOUTE.

LE PLUS SIMPLE EST PEUT-ÊTRE DE COMMENCER PAR LE DÉBUT...

J'ÉTAIS SECRÉTAIRE DE DIRECTION DANS CETTE PETITE ENTREPRISE ... ET... HEU... J'AI DÉMISSIONNÉ POUR ÉLEVER MES ENFANTS...
QUAND J'AI SU QUE VOUS CHERCHIEZ QUELQU'UN POUR VOTRE SUCCURSALE D'ANGERS, J'AI...

VOUS AVEZ TROIS ENFANTS, C'EST ÇA ? UN VRAI TRAVAIL À PLEIN TEMPS, HEIN ?
OUI...

L'ENTREPRISE QUI VOUS EMPLOYAIT NE POUVAIT PAS VOUS REPRENDRE ?
HEU... NON...

... ELLE N'EXISTE PLUS.

C'EST VRAI QUE ÇA DATE PAS MAL.
UNE QUINZAINE D'ANNÉES ...

SEIZE, EXACTEMENT.

OUI.

ALLÔ, TANGUY? C'EST MOI.
ALORS?
service
contrôle

BOF... COMME D'HABITUDE. PAS BESOIN D'ATTENDRE LEUR LETTRE POUR CONNAÎTRE LEUR RÉPONSE...
JE TE L'AVAIS DIT.

ÇA OUI... TU ME L'AVAIS DIT ET RÉPÉTÉ...
BAH OUAIS. TU ES OÙ, LÀ?

J'EN AI MARRE, TANGUY.
BAH OUAIS. FORCÉMENT. T'ARRIVES À QUELLE HEURE À LA GARE?

JE SAIS PAS...
carrefour
DRAMA
A

JE CROIS QUE JE NE VAIS RENTRER QUE DEMAIN.
QUOI?

QU'EST-CE QUE TU FOUS?!! ALLÔ?!! LULU!
LULU, MERDE!
À DEMAIN.

ALLÔ? LULU! ALL...
BIP

NES
ardiland
La Foir'Fouille
BÉBÉ LAND
GiFi
GRILL
flunch

HOTEL
TARIFS

BONJOUR. JE PEUX AVOIR UNE CHAMBRE ? JE SUIS DÉSOLÉE, J'AI PAS RÉSERVÉ...
PAS DE SOUCI, MA P'TITE DAME, C'EST CALME EN CE MOMENT. POUR COMBIEN DE NUITS ?
PARDON ?

COMBIEN DE NUITS, LA CHAMBRE ?
OH... HEU... UNE SEULE, BIEN SÛR...

C'EST PAS ÉVIDENT, HEIN !
OUI, NON, PARDON.
LA 12, AU PREMIER. UN PETIT DÉJEUNER, DEMAIN ?

HEU OUI... ET DÎNER, CE SOIR, C'EST POSSIBLE ?
C'EST TRÈS POSSIBLE !
MAMAN MAMAN DÉCROCHE VITE ! MAM...

OUI ?
C'EST QUOI, CE BORDEL ? TU M'AS RACCROCHÉ AU NEZ ?!
ÇA VA, TANGUY, JE SERAI LÀ DEMAIN MIDI.

TU AS LOUPÉ TON TRAIN ? C'EST ÇA ?
SI TU VEUX...
PUTAIN LULU, ÇA VA CHIER !

10
NE CRIE PAS... NE T'INQUIÈTE PAS. À DEMAIN.

12

JE CROIS QUE CETTE SOLANGE EST CELLE PAR QUI TOUT A COMMENCÉ...

ELLE DOIT S'EMMERDER UN PEU. ELLE CHERCHE DE LA COMPAGNIE ET ENGAGE LA CONVERSATION.
ELLES PICOLENT UN PEU...

AH ÇA ! LULU A JAMAIS TENU L'ALCOOL... TU TE SOUVIENS, À LA FÊTE DE TES 40 ANS ?
HOHO ! TU PARLES !

VOUS TROUVEZ VRAIMENT QUE C'EST LE MOMENT DE RIGOLER ?
ÇA VA, CHÉRIE, ON FAIT RIEN DE MAL...
CONTINUE, XAVIER.

DONC ELLES DISCUTENT... ÇA DURE... JE SAIS PAS DE QUOI ELLES PARLENT, MAIS CETTE FILLE SENT QUE NOTRE LULU N'EST PAS DANS SON ASSIETTE ...
C'EST CE QUI LA POUSSE À LUI FAIRE CETTE DRÔLE DE PROPOSITION.

TU SAIS QUOI, LULU ?
ON NE SE CONNAÎT PAS. ON NE SE REVERRA JAMAIS.
ALORS, VAS-Y. LÂCHE-TOI. ÇA TE FERA DU BIEN.

QUOI ?
DIS-MOI TOUT CE QUI NE VA PAS. VIDE TON SAC.
PARLER SOULAGE.

MAIS J'AI PAS ENVIE !
ESSAIE !
J'AI JAMAIS FAIT ÇA !
RAISON DE PLUS.
MAIS NON !
D'ACCORD. COMME TU VEUX. C'EST POUR TOI.
C'EST UNE IDÉE BIZARRE, QUAND MÊME !

BON.

HEU...
HOULALA...
MA VIE ME PLAÎT PAS.
IL SE PASSE RIEN.

JE SAIS PAS SI J'AIME ENCORE MON MARI. IL A CHANGÉ. PARFOIS JE LE SUPPORTE PLUS.
HEUREUSEMENT QUE J'AI MES ENFANTS.

MAIS J'AI PARFOIS L'IMPRESSION D'ÊTRE JUSTE UNE EXTENSION DE LA GAZINIÈRE ET DU LAVE-LINGE.
BIEN...
C'EST TOUT ?
NON.

PARFOIS, J'ESSAIE D'IMAGINER CE QUI POURRAIT M'ARRIVER DE BIEN DANS LES ANNÉES À VENIR...
...ET JE NE TROUVE RIEN.

ET PUIS ÇA, AUSSI : JE NE M'AIME PAS BEAUCOUP.
HA. CE DERNIER POINT EST TROP COMMUN POUR ÊTRE INTÉRESSANT!

QUOI D'AUTRE ?
HEU... JE SAIS PAS... POSEZ-MOI DES QUESTIONS...

AH NON. ÇA DOIT VENIR DE TOI, SINON ÇA VAUT PAS.
ALORS LAISSONS TOMBER.

ALORS?
ALORS QUOI ?
ÇA FAIT DU BIEN ?
BOF... PAS VRAIMENT. ESSAYEZ, VOUS.

MOI? NON NON. ÇA VA, LA VIE, LE BOULOT, TOUT ÇA...
C'EST BIEN, VOTRE TRAVAIL ?

IL EN VAUT UN AUTRE... JE SUIS BEAUCOUP SUR LA ROUTE...
OUAIS. ÇA M'AURAIT PEUT-ÊTRE PLU. VOUS AVEZ UNE FAMILLE?

JE PENSE À UN TRUC, LULU : DEMAIN, JE VAIS VOIR UN CLIENT SUR LA CÔTE. SI TU VEUX RETARDER UN PEU TON RETOUR À LA MAISON, JE T'EMMÈNE.
HEIN?

DE QUOI VOUS VOUS MÊLEZ? JE RENTRE CHEZ MOI DEMAIN MATIN! MON MARI ET MES ENFANTS M'ATTENDENT!
D'ACCORD... C'ÉTAIT JUSTE UNE IDÉE COMME ÇA...

ON REPREND UNE BOUTEILLE ?

Hotel la Gran

SALUT.
BONJOUR.
TU M'ATTENDAIS?
OUI.
ET TU VEUX QUE JE TE DÉPOSE À LA GARE?
NON.

BON... PASSE-MOI TON SAC.
JE VAIS LE GARDER AVEC MOI.

CATHLON
AUCHAN

TU ES SÛRE DE CE QUE TU ES EN TRAIN DE FAIRE?
NE ME POSEZ PAS DE QUESTION.

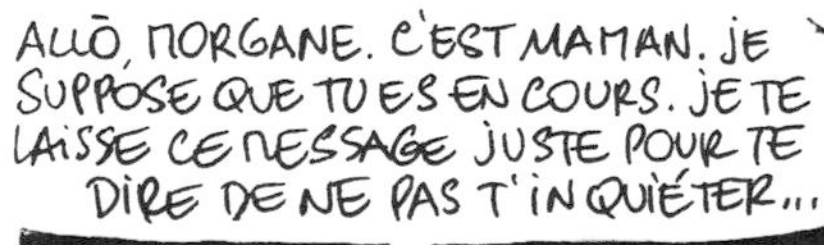
ALLÔ, MORGANE. C'EST MAMAN. JE SUPPOSE QUE TU ES EN COURS. JE TE LAISSE CE MESSAGE JUSTE POUR TE DIRE DE NE PAS T'INQUIÉTER...

... PRÉVIENS TON PÈRE ET TES PETITS FRÈRES QUE JE RENTRERAI... HEU...

...BIENTÔT.
JE T'EMBRASSE.

ON A DEUX HEURES DE ROUTE... QU'EST-CE QUE TU REGARDES?
IL Y A SEIZE MESSAGES DE MON MARI SUR MON PORTABLE.
TU VAS LUI RÉPONDRE?
ON VERRA.

HÉHÉ!

VOILÀ. C'EST LÀ QUE NOS CHEMINS SE SÉPARENT.
CIE
HARMACIE LE GA

IL FAUT QUE J'AILLE BOSSER, MOI. HEUREUSE D'AVOIR FAIT TA CONNAISSANCE. PRENDS BIEN SOIN DE TOI, LULU.
MERCI.

HARMAC

HOPPIE

ALLÔ, CÉCILE ?

J'ÉTAIS AU BUREAU. PAS TRÈS DISPONIBLE. MAIS SA VOIX ÉTAIT ÉTRANGE...
AFFOLÉE ?

NON, JUSTEMENT. TRÈS CALME. PRESQUE JOYEUSE...
LULU ? JOYEUSE ?

C'EST PAS LE BON TERME... JE SAIS PAS COMMENT DIRE...
TRANQUILLE...
FLOTTANTE...

QU'EST-CE QU'ELLE T'A DIT ?
OH, PAS GRAND-CHOSE...

... QU'ELLE ALLAIT BIEN. QU'ELLE ÉTAIT PAS LOIN, SUR LA CÔTE...
C'EST FLOU, "SUR LA CÔTE".
MORGANE ? TU ES LÀ-HAUT ? ON PEUT PRENDRE DES CHAISES DANS LA CUISINE ?

OUI OUI. VAS-Y. JE SUIS AVEC LES PETITS.
O.K. MERCI.
OUI, C'EST FLOU. J'AI MÊME PAS PENSÉ À LUI FAIRE PRÉCISER...

ET LE SOIR, EN RENTRANT, JE SUIS VENUE VOIR TANGUY, POUR LE RASSURER... VOUS LE CONNAISSEZ...

VOTRE PAPA EST LÀ ?
SALUT CÉCILE. OUAIS. IL EST DANS LE SALON. IL EST FATIGUÉ.
SUPER-FATIGUÉ !

TANGUY ?
QUOI?

HEU... ÇA VA ?
NON.
QU'EST-CE QUE TU FOUS LÀ ?

J'AI EU LULU AU TÉLÉPHONE ...
ELLE EST OÙ ?

JE NE SAIS PAS EXACTEMENT...
MENTEUSE.
MAIS ELLE VA TRÈS BIEN. NE VOUS INQUIÉTEZ PAS.

JE T'ASSURE, TANGUY. ELLE NE M'A RIEN DIT.
JE TE CROIS PAS.

TU AS BU TOUT ÇA ?
C'EST SA FAUTE ! ELLE APPELLE SA FILLE ! ELLE APPELLE SA MEILLEURE AMIE ! ET MOI, ELLE ME RACCROCHE AU NEZ !
C'EST PARCE QU'IL AVAIT TROP SOIF !

VOTRE GRANDE SOEUR N'EST PAS RENTRÉE ?
BAH NAN.
MORGANE, ELLE TRAÎNE TOUJOURS APRÈS LE LYCÉE !

DE TOUTE FAÇON, J'EN AI RIEN À BATTRE ! MOI AUSSI, JE PEUX TOUT FOUTRE EN L'AIR ! D'AILLEURS, JE L'AI FAIT. BASTA, LE BOULOT !
QUOI ?

HÉ HÉ ...

CE SOIR, J'AI LAISSÉ UNE LETTRE DE DÉMISSION SUR LE BUREAU DE MON PATRON ...

T'AS PAS FAIT ÇA ?!
SI, MADAME. HOP LÀ.
FAIT QUOI ?

LE CON.
OUI. UN SACRÉ CADEAU POUR SON BOSS. ILS PEUVENT PAS SE BLAIRER.

J'AI APPELÉ XAVIER, QUI VENAIT DE RENTRER À LA MAISON ...
JE SUIS VENU ICI TOUT DE SUITE.

SALUT, XAVIER ! TU VIENS BOIRE UN COUP AVEC PAPA ?

AH BAH TIENS ... VOILÀ L'AUTRE.
DIS-MOI QUE C'EST UNE BLAGUE, CETTE HISTOIRE DE LETTRE DE DÉMISSION.

HA HA ! JE L'AI DÉPOSÉE IL Y A DEUX HEURES, MON P'TIT PÈRE !
LE PATRON LA TROUVERA DEMAIN MATIN !

QUOI ?

ON Y EST. TU ES SÛR QU'IL N'Y A PERSONNE ?
À CETTE HEURE-LÀ, CERTAIN. GARE-TOI LÀ-BAS...

J'AI DÉCONNÉ, HEIN ?
C'EST OÙ ?
LÀ-BAS.

HEU... J'AI ENVIE DE GERBER...
C'EST PAS LE MOMENT.

TU CROIS QU'ELLE VA REVENIR ?
BIEN SÛR...
C'EST MA FAUTE, HEIN ?

À TON AVIS ?

MERDE !

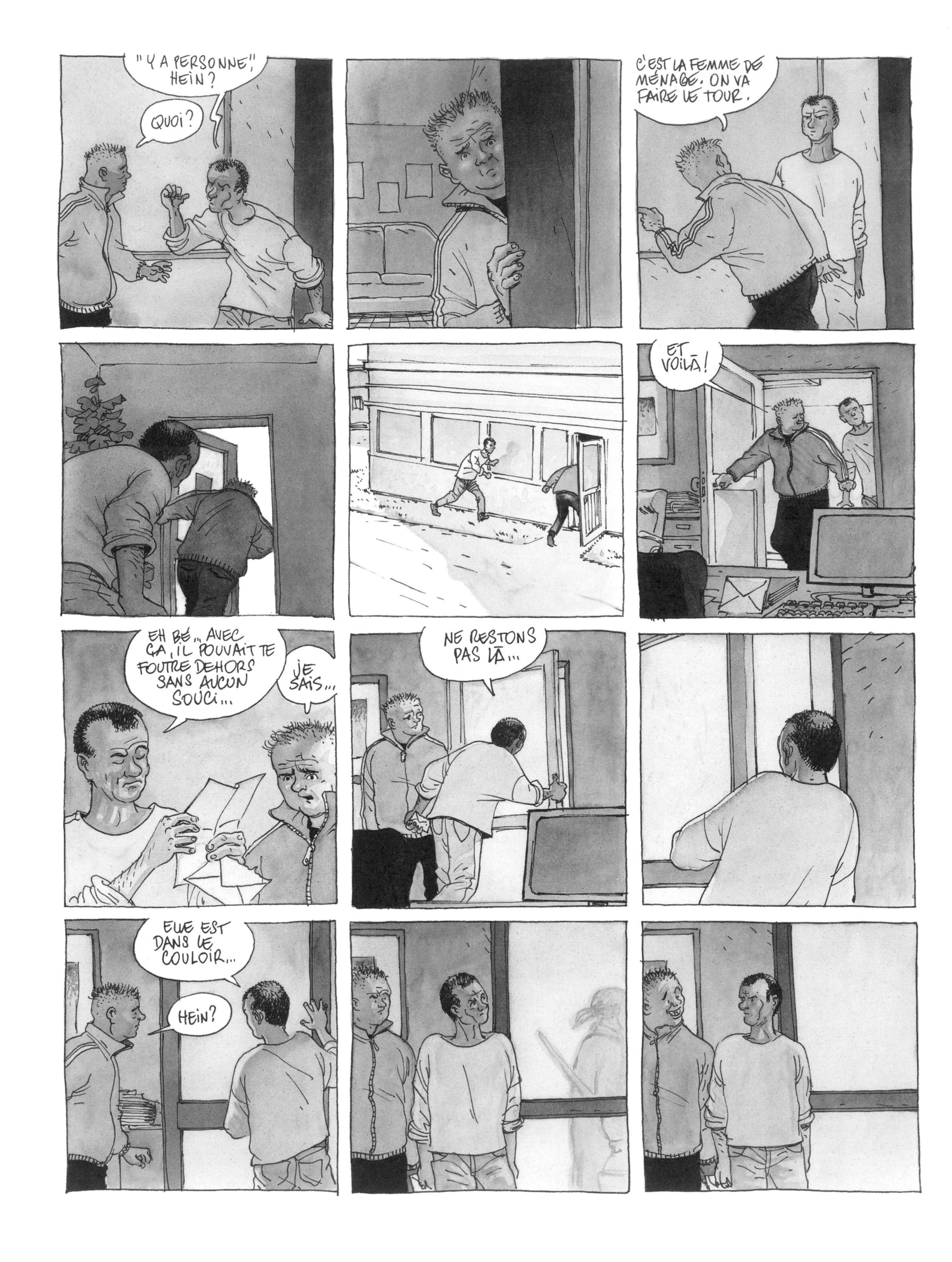
"Y A PERSONNE", HEIN ?
QUOI ?
C'EST LA FEMME DE MÉNAGE. ON VA FAIRE LE TOUR.
ET VOILÀ !
EH BÉ... AVEC ÇA, IL POUVAIT TE FOUTRE DEHORS SANS AUCUN SOUCI...
JE SAIS...
NE RESTONS PAS LÀ...
ELLE EST DANS LE COULOIR...
HEIN ?

TU FAIS CHIER, TANGUY.
HÉ HÉ HÉ
C'EST BON. ALLONS-Y.
Y A PAS DE VIGILES, LA NUIT ?
DES VIGILES ?
HÉ ! VOUS, LA-BAS !
C'EST OÙ ?
À DROITE AU FOND !
HUUUMMMFFF ...
MAGNE-TOI !
ALLEZ !
AÏE !

AH PUTAIN, MA CHEVILLE !
AÏE
AÏE
ON Y VA !

AÏE
AÏE
AÏE

ON A VRAIMENT PASSÉ L'ÂGE DE CES CONNERIES...

IL S'EST VRAIMENT FAIT MAL... ON EST DONC PASSÉS AUX URGENCES. VERDICT : UNE GROSSE ENTORSE.
ET LE VIGILE ? EST-CE QU'IL POURRAIT VOUS RECONNAÎTRE ?

JE NE PENSE PAS, NON... ET PUIS, DE SON POINT DE VUE, IL NE MANQUE RIEN DANS LES BUREAUX.
HAHA. C'EST VRAI !
ON SE FERAIT PAS UN CAFÉ ?
BONNE IDÉE !

MORGANE ? TU SAIS OÙ IL Y A DU CAFÉ ?
OU UNE BIÈRE !
DEUX !
JE DESCENDS !

ILS NE DORMENT PAS, HEIN ?
NON... JE LES LAISSE LIRE.
JE M'OCCUPE DU CAFÉ.

UN COUP DE MAIN, JEUNE FILLE ?
ÇA VA. TU PEUX PRENDRE LES TASSES DANS LE SALON.

DANS LE...
J'Y VAIS...

TU TROUVES?
OUI OUI.

QUAND MÊME, HEIN...

QUELLE HISTOIRE...

JE TE TROUVE TRÈS COURAGEUSE, MORGANE...
T'INQUIÈTE PAS POUR MOI.

VOILÀ LE CAFÉ...
MORGANE EST REMONTÉE AVEC LES PETITS...
ALORS? ENSUITE?

IL A FALLU INSTALLER LE BLESSÉ CHEZ NOUS... AVEC SES ENFANTS, BIEN SÛR.
ET LULU?
AH... LULU...

DIFFICILE DE DIRE DANS QUEL ÉTAT D'ESPRIT ELLE EST À CE MOMENT-LÀ.

ELLE ERRE TOUTE LA JOURNÉE.

Pizzeria Aldo
Bar La Mar
JE SUIS CERTAIN QU'ELLE N'AVAIT RIEN PRÉMÉDITÉ.

RAPPELEZ-VOUS. C'ÉTAIT IL Y A PRESQUE TROIS SEMAINES, DÉBUT OCTOBRE.
C'ÉTAIT UNE DE CES JOURNÉES PARFAITES, ENVAHIES DE LUMIÈRE TIÈDE.

LA VOILÀ DONC SEULE SUR CETTE PLAGE.
C'EST PEUT-ÊTRE IDIOT, MAIS C'EST NOUVEAU POUR ELLE, CETTE SOLITUDE, CETTE INDÉPENDANCE...

... CETTE VACANCE.

"LE BRUIT DES VAGUES ME MASSAIT LE CERVEAU"...
C'EST COMME ÇA QU'ELLE A DÉCRIT CE MOMENT-LÀ.
_MAIS DIS DONC, XAVIER, COMMENT TU SAIS TOUT ÇA, TOI ?

TU LUI AS PARLÉ ? TU L'AS REVUE AVANT QUE... ENFIN, AVANT TOUT ÇA ?
OUI. JE L'AI REVUE.

MAIS LAISSE-MOI RACONTER DANS L'ORDRE.
D'ACCORD... QUI VEUT UNE BIÈRE ?

ELLE RESTE LÀ JUSQU'AU SOIR.

JUSQU'À LA FRAÎCHEUR.

HOTEL

ELLE A PEU MANGÉ.
PAS MAL MARCHÉ.
ELLE DORT TRÈS BIEN.

ET LE LENDEMAIN ?

LE LENDEMAIN, ELLE CONTINUE DE DÉAMBULER.

ELLE ESSAIE EN VAIN DE RETIRER UN PEU D'ARGENT À UN DISTRIBUTEUR.
CM

ELLE DEVINE QUE TANGUY A FAIT BLOQUER SA CARTE BLEUE.

La Marée
ÉTONNAMMENT, CET IMPRÉVU NE L'AFFOLE PAS.

ELLE NE ME L'A PAS DIT. ELLE NE L'A PEUT-ÊTRE MÊME PAS COMPRIS, MAIS, RÉTROSPECTIVEMENT, MOI, JE CROIS QU'ELLE S'EN EST TROUVÉE SOULAGÉE.

ELLE SAIT DÉSORMAIS QUE SON ESCAPADE NE PLOMBERA PAS LES FRAGILES FINANCES FAMILIALES.

JE NE SAIS PAS SI CETTE DONNÉE L'A ENCOURAGÉE À PROLONGER SA BALADE.
C'EST POSSIBLE.

ELLE MARCHE.
ELLE EST CALME.
QUELQUE CHOSE S'OUVRE EN ELLE.

POUR ÉCONOMISER LE PEU D'ARGENT QUI LUI RESTE, ELLE PASSE LA NUIT SUIVANTE SUR UN BANC.
– SUR UN BANC ? ELLE N'A PAS PEUR ?

ELLE A FROID.
ELLE DORT PEU.

ET DANS SES VÊTEMENTS QU'ELLE PORTE DEPUIS QUATRE JOURS, ELLE COMMENCE À SE SENTIR SALE.
MAIS, NON, ELLE N'A PAS PEUR.

SEULE, DANS CE JARDIN PUBLIC, ELLE A L'IMPRESSION DE VIVRE UNE SORTE D'AVENTURE.

C'EST LE LENDEMAIN QU'ELLE VA CONNAÎTRE SES PREMIÈRES ÉMOTIONS.

HEU... MONSIEUR ? ÇA VA ?

MONSIEUR?

MEEEEEERDE...

HÉHO...

MMHHH?

QU'EST-CE QUI SE PASSE?
OH, EXCUSEZ-MOI!
J'AI CRU QUE...
QUE QUOI ?

JE SAIS PAS... VOUS NE BOUGIEZ PAS... LA MARÉE BAISSE... JE...
VOUS AVEZ CRU QUE JE M'ÉTAIS NOYÉ? BIN NON. JE M'ÉTAIS JUSTE ASSOUPI...

AH BON ...
ÇA VOUS ÉTONNE ?
HEU... SUR CES PIERRES HUMIDES, OUI, UN PEU...
C'EST UNE FAÇON DE VOIR LES CHOSES.

ON PEUT AUSSI DIRE "AU BORD DE L'EAU, SOUS LE SOLEIL"... DE TOUTE FAÇON, JE PEUX DORMIR PARTOUT...
HOOUU MON DOS...

JE M'APPELLE CHARLES. SALUT...
HEU... MOI, C'EST LULU.

EN VACANCES?
HEU... NON. OUI.
IMMÉDIATEMENT, NOTRE LULU SAIT QU'IL VA SE PASSER QUELQUE CHOSE AVEC CE MEC-LÀ. ET QU'ELLE VA S'Y LAISSER ALLER.

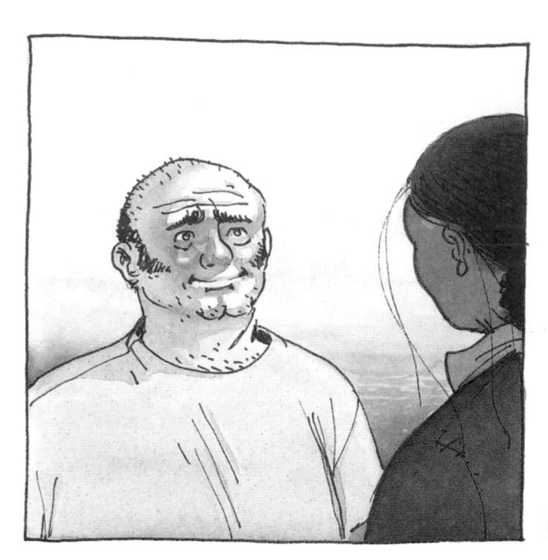

ON MARCHE ?

NE VOYEZ PAS ÇA COMME UN COUP DE FOUDRE. C'EST JUSTE UN MOMENT D'ABANDON, ASSEZ LUCIDE.
UNE ESPÈCE D'ACTE DE CONFIANCE ENVERS QUELQU'UN QU'ELLE NE CONNAÎT PAS.

MAMAN MAMAN DÉCROCHE VITE
MAMAN MAMAN DÉCROCHE VITE
MERDE.

MAMAN MAMAN DÉCROCHE VI...
BIP
TU AS DES ENFANTS ?
MOI ?

NON. C'EST UN TÉLÉPHONE QUE M'A DONNÉ MA SOEUR. JE SUPPORTE PAS CE TRUC.
JE CROYAIS L'AVOIR ÉTEINT ...

DONNE. JE VAIS TE MONTRER.

HÉ ?

HA HA
HA HA...

HA HA
HA HA
HA HA!

ÉCOUTE... JE SAIS PAS COMMENT DIRE ÇA... HEU...
CE QUI VA NOUS ARRIVER... ÇA NE PEUT PAS ÊTRE... ENFIN...
ÇA SERA BREF. ÇA PEUT PAS ÊTRE AUTREMENT. TU COMPRENDS? T'ES D'ACCORD?

NON.
OUI.
QUOI?
NON, JE COMPRENDS PAS.
OUI, JE SUIS D'ACCORD.

UNE JOURNÉE HORS DU TEMPS.
ILS MARCHENT, ILS PARLENT.
ELLE EST BIEN.

HO.
C'EST QUI?

ÇA VA.
C'EST QUOI, TON NOM?
QU'EST-CE QUE...

JE TE PRÉSENTE MES FRANGINS ...
SALUT.
SALUT.

VOUS VOUS CONNAISSEZ DEPUIS LONGTEMPS?
BON. VOUS N'AVEZ RIEN D'AUTRE À FAIRE?

O.K., O.K... ON ALLAIT FAIRE LES COURSES.
TU DÎNES AVEC NOUS?
HEU...
ET TOI?
HEIN?

BON. ON PRÉVOIT POUR QUATRE.
HUE!

C'EST VRAIMENT TES FRÈRES?
HÉÉÉÉÉÉ OUI...

TU DORS?
J'AI JAMAIS ÉTÉ AUSSI RÉVEILLÉE.
C'EST ÉTRANGE CE QUI NOUS ARRIVE, LÀ, NON?
ON N'EST PAS OBLIGÉS D'Y RÉFLÉCHIR.
HA HA! TU AS RAISON.

TU VIS AVEC TES FRÈRES?
C'EST PROVISOIRE.

ET TOI? TU N'ES PAS D'ICI... TU DORS OÙ CE SOIR?
OH... UN HÔTEL, LÀ-BAS...

SÛRE?
D'ACCORD... JE SAIS PAS OÙ DORMIR...
JE T'INVITE?

CÉDEZ LE PASSAGE

PENDANT LA SAISON CREUSE, CHARLES ET SES FRÈRES GARDENT UN PETIT CAMPING.

DANS UN PREMIER TEMPS, LULU N'EST PAS TRÈS RASSURÉE DE SE RETROUVER LÀ.

MAIS LE DÎNER SE PASSE BIEN. ILS ÉVITENT DE LUI POSER DES QUESTIONS TROP PERSONNELLES.

CHARLES ET ELLE SE RENDENT COMPTE QU'ILS N'ONT RIEN MANGÉ NI BU DEPUIS LE MATIN, DEPUIS LEUR RENCONTRE.
CETTE CONSTATATION LA TROUBLE.

ELLE PASSE FINALEMENT UNE EXCELLENTE SOIRÉE. ELLE RIT BEAUCOUP.

D'APRÈS CE QUE J'AI COMPRIS, LA LULU QUE DÉCOUVRENT CES TROIS TYPES N'A PAS GRAND-CHOSE À VOIR AVEC CELLE QUE NOUS CONNAISSONS ICI.

ET QUAND VIENT LE MOMENT DE SE COUCHER, C'EST SANS APPRÉHENSION QU'ELLE PÉNÈTRE DANS CETTE CARAVANE.

PAS TROP DUR, LA DOUCHE FROIDE?
"PAS QUESTION DE LAISSER LE CHAUFFE-EAU ALLUMÉ POUR TROIS", DIT LE PROPRIO...

ÉVIDEMMENT, IL EST UN PEU GRAND, CE TEE-SHIRT.
MAIS J'AI QUE ÇA.

BON HEU... J'ÉTEINS...
BONNE NUIT...
BONNE NUIT.
BONNE NUIT.

HIHIHI HIHI!
C'EST QUOI CES PETITS BRUITS ?
JE SAIS PAS. J'ENTENDS RIEN...

ÇA RECOMMENCE!
AH OUI, J'AI ENTENDU... ÇA DOIT ÊTRE UNE BESTIOLE...

BON. VOUS DORMEZ PAS, VOUS DEUX?
P'TAIN, ON VA SE FAIRE ENGUEULER PAR LE GRAND FRÈRE!
ON A PEUR, GRAND FRÈRE, Y A DES BRUITS!

HIHIHI HIHI!
HAHAHAHA HAHA!
HOHOHO HOHO!
QU'ILS SONT CONS!

HUM...
BON, ALLEZ, BONNE NUIT.

HÉ? LA CARAVANE BOUGE, NON?
OUI, UN PEU. ON DIRAIT DES VAGUES...
SI ÇA SE TROUVE, C'EST UN TSUNAMI!
ON VA TOUS MOURIR!

HAHAHA HAHA HAHA!
HIHIHI HIHI HIHIHI!
HOHOHO HOHO HOHO HO!

QU'ILS SONT CONS.

EH BIN...
LULU...
INCROYABLE ...

ELLE... ELLE A COUCHÉ AVEC CES TROIS HOMMES ?
DORMI. ELLE A DORMI AVEC EUX.
MAIS ELLE A COUCHÉ AVEC CE CHARLES ...

HÉHÉ ! ILS MANQUAIENT SANS DOUTE D'INTIMITÉ... MAIS JE N'AI PAS DE DÉTAILS SUR CETTE PREMIÈRE NUIT...

DOMMAGE, HEIN ?
OUAIS, HAHA HA !
IL A DIT "CETTE **PREMIÈRE** NUIT" !

HAHA HA !
CHUT !
HÉHO, ON PEUT RIGOLER UN PEU QUAND MÊME !

CONTINUE, XAVIER...
LE LENDEMAIN, ILS SE BALADENT ENCORE. ÇA VOUS SEMBLE PAS GRAND-CHOSE...
... MAIS LULU A "L'IMPRESSION DE REVIVRE."

ILS SE BAIGNENT. LONGTEMPS. L'EAU EST DÉJÀ GLACÉE. MAIS LE FROID NE LES ATTEINT PAS.
EN FIN D'APRÈS-MIDI, POUR LA PREMIÈRE FOIS DEPUIS LEUR RENCONTRE, ELLE QUITTE CHARLES QUELQUES INSTANTS.
ELLE TROUVE UNE CABINE TÉLÉPHONIQUE. ELLE APPELLE À LA MAISON.

CÉCILE?
LULU?

ÇA VA?

OH, ÇA VA TRÈS BIEN, VRAIMENT. NE VOUS INQUIÉTEZ PAS POUR MOI...
ON A UN PEU DE MAL À S'EN EMPÊCHER, LULU. QU'EST-CE QUI SE PASSE? QU'EST CE QUE TU FAIS? POURQUOI TU RENTRES PAS?

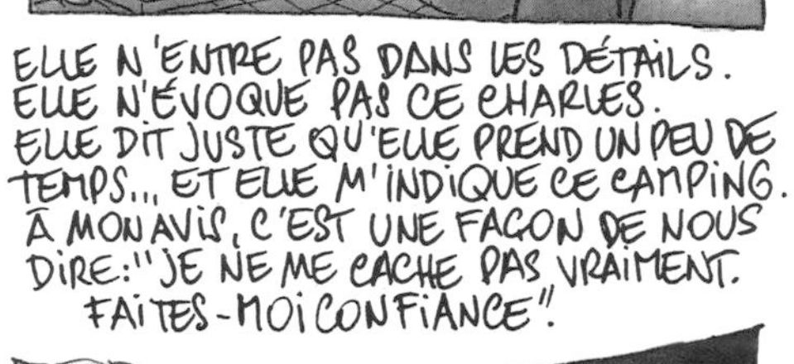
ELLE N'ENTRE PAS DANS LES DÉTAILS. ELLE N'ÉVOQUE PAS CE CHARLES. ELLE DIT JUSTE QU'ELLE PREND UN PEU DE TEMPS... ET ELLE M'INDIQUE CE CAMPING. À MON AVIS, C'EST UNE FAÇON DE NOUS DIRE: "JE NE ME CACHE PAS VRAIMENT. FAITES-MOI CONFIANCE".

COMME LORS DE SON PREMIER APPEL, CE QUI ME FRAPPE, C'EST LE TON DE SA VOIX,
RASSURANT.
TERRIBLEMENT RASSURANT.

POURTANT, ELLE NE DEMANDE MÊME PAS DE NOUVELLES DES ENFANTS, NI DE TANGUY... ALORS MOI, JE NE LUI DIS PAS QU'IL EST CHEZ NOUS...
POURQUOI?

JE NE SAIS PAS...
PEUT-ÊTRE QUE JE LUI FAIS CONFIANCE.

AU MOMENT OÙ ELLE APPELLE, IL EST EN TRAIN DE PRENDRE LE SOLEIL, DANS NOTRE COUR. ON LUI DIT QU'ELLE VIENT D'APPELER, QU'ELLE SEMBLE ALLER BIEN.
ET IL RÉAGIT COMMENT?

DEPUIS LE DÉPART DE LULU, IL EST COMME EN ÉBULLITION. SON ENTORSE ET SON INSTALLATION CHEZ NOUS N'ONT RIEN ARRANGÉ... L'AMBIANCE EST UN PEU PÉNIBLE À LA MAISON.
CE QUI LE MET LE PLUS EN COLÈRE, C'EST QUE LULU PRÉFÈRE APPELER CÉCILE PLUTÔT QUE LUI-MÊME.

LULU, QUANT À ELLE, RENTRE AU CAMPING.

MÂDÂME.

JE VOUS EN PRIE.

QU'EST-CE QUE
PAS DE QUESTION.
GARÇON.

MADAME, MONSIEUR, NOUS VOUS SOUHAITONS BON APPÉTIT.

LULU?

LA LANGOUSTE AUX PETITS AGRUMES SUR SON LIT DE NACRE.

T'ES PEUT-ÊTRE PAS OBLIGÉ DE HURLER COMME ÇA.
J'AIME BIEN. ÇA FAIT CLASSE.

J'AI JAMAIS MANGÉ DE LANGOUSTE...

OÙ VOUS AVEZ PRIS TOUT ÇA ?
PAS DE QUESTION.
DIS-MOI SI TU AIMES.

T'IMAGINES PAS COMME C'EST BON.

SI SI... J'IMAGINE TRÈS BIEN...

GARÇON ?
QUEL VIN AVEC LA LANGOUSTE ?

ANJOU BLANC, NOËLS DE MONTBENAULT 2004.

LE BAR DE LIGNE À LA PLANCHA ET SES TROIS POIVRES.

LA BROUILLADE AUX PELURES DE TRUFFES.
BLOC SANITAIRE
SORTIE

L'EX-SORBET DE FRUITS ROUGES... EN SOUPE FROIDE VU QU'ON AVAIT OUBLIÉ QU'ON N'A PAS DE CONGÉLATEUR.
QU'ILS SONT CONS...

ENCORE UN PEU DE CAFÉ ?
MERCI. C'ÉTAIT PARFAIT.

MADAME, MONSIEUR.
VEUILLEZ NOUS SUIVRE.

CE MIDI, ON A CONSTATÉ QUE CETTE CARAVANE AVAIT ÉTÉ FRACTURÉE. ÇA SERAIT BIEN QUE VOUS Y MONTIEZ LA GARDE CETTE NUIT. ON SAIT PAS QUI A FAIT ÇA.
AH, J'TE JURE ! C'EST VRAIMENT RACAILLE ET COMPAGNIE, PAR ICI !

"ON SAIT PAS QUI A FAIT ÇA", HEIN ?
NON, ON SAIT PAS. MAIS RIEN N'A ÉTÉ VOLÉ. ON RÉPARERA NOUS-MÊMES.

NOUS, ON VA FAIRE LA VAISSELLE.
AU BOULOT.

QU'EST-CE QUE TU EN DIS ?

VIVE LA RACAILLE.

CETTE NUIT-LÀ, CÉCILE ET MOI DORMONS PEU ÉGALEMENT. MALGRÉ CE COUP DE FIL, NOUS RESTONS PRÉOCCUPÉS. CÉCILE ME DEMANDE D'ALLER JETER UN COUP D'ŒIL SUR PLACE, ET, ÉVENTUELLEMENT, DE PARLER AVEC LULU. L'IDÉE NE M'EMBALLE PAS. ELLE INSISTE.
JE CÈDE.

POUR TOUT VOUS DIRE, J'AVAIS PRIS QUELQUES JOURS DE CONGÉS POUR REFAIRE LA SALLE DE BAINS.
ET ME VOILÀ COURANT APRÈS LULU ET SES CAPRICES.

APRÈS DEUX HEURES DE ROUTE, J'ARRIVE DONC SUR LA CÔTE D'ASSEZ MAUVAISE HUMEUR.

JE N'AI MÊME PAS BESOIN D'ALLER JUSQU'À CE CAMPING.

JE LA CROISE SUR LA CORNICHE...

... AVEC UN MEC!

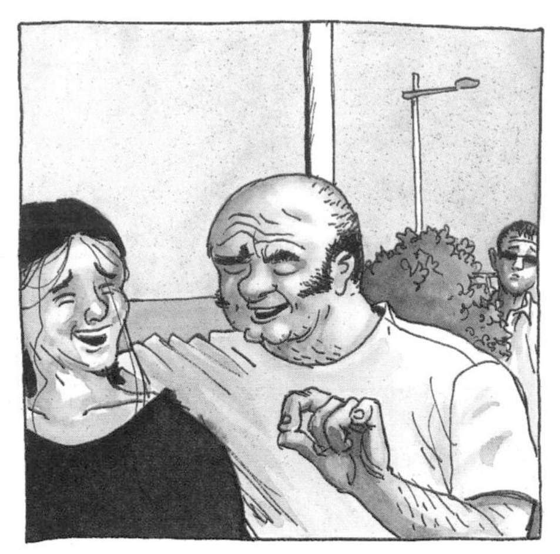

C'EST PEUT-ÊTRE IDIOT, MAIS À CE MOMENT-LÀ, LA PREMIÈRE CHOSE QUI ME VIENT À L'ESPRIT, ET QUI ME GLACE UN PEU...

... C'EST QUE J'AVAIS RAREMENT VU LULU RIRE.

GRILL
RAJA

QUE FAIRE ?

JE LES SUIS.
LONGTEMPS.

COMME UN IMBÉCILE.
samara II

JE NE SAIS PAS COMMENT VOUS RACONTER ÇA.
CREPERIE
1109 YB 85
METTEZ-VOUS À MA PLACE.

N'OUBLIEZ PAS QUE, CE MATIN-LÀ, JE NE SAIS ENCORE RIEN DE CE QUI LUI EST ARRIVÉ LES JOURS PRÉCÉDENTS.

MAIS JE DEVINE IMMÉDIATEMENT QUE CES DEUX-LÀ NE SE CONNAISSENT PAS DEPUIS LONGTEMPS.

LEUR RELATION EST TROP TACTILE.
ON DIRAIT DEUX VIEUX ADOS, UN PEU RIDICULES.
VOUS SAVEZ À QUOI JE PENSE EN LES OBSERVANT ?

JE PENSE À LA VIE QU'ELLE MÈNE AU QUOTIDIEN, DANS L'OMBRE ENCOMBRANTE DE TANGUY, QUI N'EST PAS VRAIMENT UN MARI FACILE. JE PENSE QU'ELLE N'A PAS DÛ AVOIR BEAUCOUP DE BON TEMPS.

JE LA REGARDE ET JE ME DEMANDE...
"QUI SUIS-JE POUR INTERROMPRE ÇA ?"

ET PUIS FINALEMENT, JE SUIS BIEN LÀ, MOI AUSSI, SOUS LE SOLEIL.

C'EST COMME SI LULU ÉTAIT CONTAGIEUSE.

(MÊME SI, SANS DÉCONNER, CETTE BALADE AMOUREUSE SUR CETTE PLAGE DÉSERTE, ON EST À DEUX DOIGTS DU ROMAN-PHOTO.)

MOI, J'AI LE RÔLE DE L'ESPION UN PEU VOYEUR ET JE DOIS AVOUER QUE C'EST ASSEZ AMUSANT.
UN BEAU MÉTIER, ESPION.
PEINARD.

T'ES QUI, TOI ?
HEIN ?

QU'EST-CE QUE TU FOUS LÀ ?
HÉHO ?!
C'EST QUOI, TON NOM ?

À QUOI ÇA RIME, CETTE FILATURE ?
MAIS ...
RÉPONDS !

JE...
ALLEZ !
LAISSE-LE PARLER, QUAND MÊME.

ALORS ?
MAIS... MAIS VOUS ÊTES QUOI, VOUS ? DES FLICS ?
SOIS POLI, HEIN.

ALORS ?
AH MAIS VOUS M'EMMERDEZ ! J'AI PAS À VOUS RÉPONDRE !
ATTENTION, HEIN ?

MAIS VOUS ÊTES QUI, MERDE ? ÇA SE FAIT, DE SE PRÉSENTER, VOUS SAVEZ ?
SES FRANGINS.

"SES FRANGINS" ?
N'IMPORTE QUOI.
ELLE A PAS DE FRANGIN.

SES FRANGINS, À LUI.
AH...
ET TOI ?

HEU... UN DE SES MEILLEURS AMIS ...
À ELLE !..

ALORS ...

C'EST QUI, CETTE LULU ?

J'HÉSITE.
JE RACONTE LE MINIMUM :
LULU AVAIT DISPARU. ON S'INQUIÉTAIT. JE L'AI CHERCHÉE. JE L'AI RETROUVÉE. ELLE SEMBLE ALLER BIEN. SA VIE PRIVÉE NE ME REGARDE PAS. JE N'INTERVIENS PAS. LES CHOSES SONT SIMPLES. POINT.
ILS ME POSENT QUELQUES AUTRES QUESTIONS.
ILS VEULENT SAVOIR, PAR EXEMPLE, SI ELLE A TRAVAILLÉ POUR UNE ENTREPRISE PARTICULIÈRE, DONT LE NOM NE ME DIT RIEN.
JE LEUR RÉPONDS QU'ELLE N'A PAS BOSSÉ DEPUIS DES ANNÉES.
J'AI L'IMPRESSION QU'ILS ME CROIENT.
D'UNE CERTAINE FAÇON, D'AILLEURS, JE NE LEUR MENS PAS.
ILS SE DÉTENDENT.
ON PARLE UN PEU. ALORS, MOI AUSSI, JE POSE UNE QUESTION :
SI JE COMPRENDS BIEN, JE SUIS PAS LE SEUL À LES SUIVRE, N'EST-CE PAS ?

MMH... CETTE GONZESSE VENUE DE NULLE PART QUI LUI TOMBE DANS LES BRAS, ON S'EST UN PEU MÉFIÉS...
DES GENS POURRAIENT VOULOIR DU MAL À CHARLES.
AH BON?

CHARLES, IL SORT DE TAULE.
AH?

BON, BON... VOILÀ UNE PETITE OMBRE SUR CE TABLEAU IDYLLIQUE. MAIS JE NE ME SENS PAS AUTORISÉ À EN DEMANDER PLUS POUR L'INSTANT. ALORS JE DIS:
HEU... SOYEZ TRANQUILLES. LULU EST L'ÊTRE HUMAIN LE MOINS DANGEREUX QUE JE CONNAISSE.

POSSIBLE. C'EST POUR LE VÉRIFIER QU'ON LA SURVEILLE UN PEU.

HA HA! DÉTENDS-TOI, CAMARADE. CHARLES EST AUSSI INOFFENSIF QU'ELLE!

HEU... ON N'EST PAS TRÈS DISCRETS, LÀ, NON?
TU PARLES! REGARDE CET IMBÉCILE. ON SERAIT À TROIS MÈTRES D'EUX QU'IL NOUS VERRAIT MÊME PAS.
HA HA HA!

IL A RAISON, LE FRANGIN: NOS AMOUREUX SONT SUR LEUR NUAGE... MOI, QUELQUES INSTANTS PLUS TÔT, J'ÉTAIS SUR LE POINT DE RENTRER, MAIS CES DEUX MECS M'INTRIGUENT.
TU LES AS INTRIGUÉS AUSSI, HEIN.

JE SAIS BIEN... MAIS DU COUP, J'HÉSITE À REPARTIR. ILS N'ONT PAS L'AIR BIEN MÉCHANT, HEIN, MAIS ON SAIT JAMAIS.

ET PUIS IL Y A CETTE HISTOIRE DE PRISON. IMAGINEZ QUE LE GARS AVEC QUI BATIFOLE NOTRE LULU SOIT UN DÉLINQUANT SEXUEL. ÇA CHANGE TOUT.
VOUS N'AVEZ PAS UN PEU FROID? ON POURRAIT CONTINUER À L'INTÉRIEUR, NON?
HEU... J'AIME AUTANT PAS...
QUOI?

BIN... J'AI PAS TRÈS ENVIE DE RENTRER. JE PRÉFÈRE RESTER DEHORS.
ELLE VA PAS TE SAUTER DESSUS, TU SAIS...

NE PARLE PAS COMME ÇA!
O.K., O.K.

MORGANE, TU POURRAIS NOUS TROUVER DES PULLS?
D'ACCORD. TU VIENS M'AIDER?

J'ARRIVE.
QUELQU'UN VEUT AUTRE CHOSE?
BIÈRE.
DES TRUCS À MANGER.
THÉ.
CAFÉ.

ENCHUITE ?

ENSUITE ...
BIN... NOUS VOILÀ DANS UNE SITUATION UN PEU BIZARRE :

J'OBSERVE CE PETIT COUPLE ...
... QUE SURVEILLENT AUSSI CES DEUX MECS ...
... QUI M'ONT À L'ŒIL ...
... ET QUE J'ÉPIE AUSSI.

MAIS BON, MALGRÉ ÇA, L'APRÈS-MIDI SE PASSE DANS UNE SORTE DE BONNE HUMEUR.
QUI VEUT DU FROMAGE ?

JE VAIS PRENDRE DU CHÈVRE ...
LULU ET SON MEC RENTRENT TRÈS TÔT AU
C'EST PAS SON MEC.

PARDON ?
LE MEC DE LULU, C'EST TANGUY. JE TE RAPPELLE QUE TU PARLES DEVANT LEUR FILLE.
ET ALORS ? VOUS ALLEZ ME CACHER DES TRUCS ?

TU SAIS BIEN QUE NON, MORGANE. MAIS, DÉSOLÉ, CE SOIR-LÀ, LE MEC DE TA MÈRE, C'EST CHARLES.
JE SAIS, XAVIER.
TU PRÉFÈRES "SON AMANT", MA CHÉRIE ?
QUOI ?

OU "SON JULES" ?
"SON GALANT" ?
"SON AMOUREUX" ?
"SON ÉTALON" ?
HAHA HA !

HAHA ! BREF... CHARLES ET LULU S'ENFERMENT DANS LEUR CARAVANE...
ET HEU... VISIBLEMENT, ILS N'ONT PAS L'INTENTION D'EN RESSORTIR TOUT DE SUITE... MOI, JE ME RETROUVE, UN PEU CON, EN TÊTE À TÊTE AVEC MES DEUX NOUVEAUX AMIS. J'ENVISAGE DONC DE REPRENDRE LA ROUTE.

AVANT DE PARTIR, JE LEUR PROPOSE D'ALLER BOIRE UN VERRE...

BON... ON EN BOIT PLUSIEURS ...
... ET J'EN APPRENDS UN PEU PLUS SUR CETTE ÉTRANGE FRATRIE.

CHARLES SORT EFFECTIVEMENT DE PRISON. IL A PRIS PLUSIEURS ANNÉES, SUITE À DES MALVERSATIONS QU'IL AVAIT COMMISES DANS L'ENTREPRISE QU'IL DIRIGEAIT. QUAND LULU LE RENCONTRE, IL EST DEHORS DEPUIS UN MOIS.
IL N'A PLUS RIEN. À SA SORTIE, IL N'A TROUVÉ QUE CE PETIT BOULOT : ENTRETENIR UN CAMPING...
ET SES FRANGINS ?

DEUX ESPÈCES DE ROUTARDS, QUI PARCOURENT LE MONDE, CHACUN DE SON CÔTÉ. ILS SONT RENTRÉS EN FRANCE PROVISOIREMENT, QUAND CHARLES A ÉTÉ LIBÉRÉ...

ILS LUI DONNENT UN COUP DE MAIN, LE TEMPS QU'IL REDÉMARRE. ET, PUISQUE DES GENS LUI EN VEULENT ENCORE BEAUCOUP, ILS SE SONT DONNÉ LA MISSION DE VEILLER SUR LUI...
BONJOUR LA PARANO !
POSSIBLE. J'EN SAIS PAS ASSEZ POUR EN JUGER.

EN FAIT, J'AI L'IMPRESSION QUE LEUR PRÉSENCE LUI PERMET SIMPLEMENT DE SOUFFLER UN PEU...

ALORS VOILÀ, ON PAPOTE GENTIMENT SUR CETTE TERRASSE DE BISTROT, AU SOLEIL COUCHANT ...
SOUS DES DEHORS UN PEU RUSTIQUES, ILS NE SONT PAS SI CONS, CES DEUX ZOZOS. ON SE MARRE BIEN !

ET LÀ, JE ME FAIS PIÉGER.

LE TEMPS PASSE. LES BIÈRES AUSSI.
JE COMMENCE À TANGUER UN PEU. EUX AUSSI. ALORS, JE LEUR PROPOSE D'ALLER DÎNER.
ILS M'AVOUENT QU'ILS N'ONT PAS UN ROND... HOP! GRAND SEIGNEUR, J'INVITE!

...ET ON PICOLE ENCORE! À UNE HEURE DU MATIN, J'APPELLE CÉCILE...
DANS UN ÉTAT!

IL ME RÉSUME TANT BIEN QUE MAL LA SITUATION. DERRIÈRE LUI, J'ENTENDS LES DEUX AUTRES RIGOLER COMME DES ABRUTIS. ET IL ME DIT QU'IL ARRIVE! JE ME FÂCHE ET JE LUI INTERDIS DE PRENDRE LE VOLANT!
HE HE HE

J'AVOUE QU'ON Y EST PAS ALLÉS DE MAIN MORTE. ÇA M'ÉTAIT PAS ARRIVÉ DEPUIS DES ANNÉES... ILS ME PROPOSENT DE M'HÉBERGER, MAIS HEU... ON S'EFFONDRE DANS MA BAGNOLE...
EH BIN ...
BRAVO.
LA GRANDE CLASSE.

LA CLASSE, PEUT-ÊTRE PAS... MAIS EN FAIT, HEUREUSEMENT QUE JE NE SUIS PAS RENTRÉ CE SOIR-LÀ, HEIN MORGANE?
VERS HUIT HEURES, MON TÉLÉPHONE SONNE.

MMHALLOo ?
XAVIER? C'EST MOI.
QUI?
MOI!
HEIN?

CÉCILE! TA FEMME!
HOOOUUUU CRIE PAS...
RRR
C'EST BON?! T'ES RÉVEILLÉ?

MORGANE N'EST PLUS À LA MAISON.
QUOI?
ELLE EST PARTIE! AVEC SES DEUX FRÈRES.
HEIN?

ELLE A DÛ ÉCOUTER NOTRE CONVERSATION HIER SOIR SUR LE TÉLÉPHONE DU PREMIER ÉTAGE. ELLE A LAISSÉ UN MOT DANS LA CUISINE : ILS ONT PRIS LE BUS POUR ANGERS, PUIS LE TRAIN. ILS ARRIVENT.
ICI?
Picasso

OUI! RÉVEILLE-TOI! J'AI REGARDÉ LES HORAIRES. ILS SERONT SANS DOUTE AU TRAIN DE ONZE HEURES.

Attention
Danger
SNCF

SALUT, MORGANE ...
OÙ EST MA MÈRE ?

ATTENDS... C'EST COMPLIQUÉ ...
OÙ ELLE EST ?

C'EST VRAI QU'ELLE EST AVEC UN MEC ?
JE NE
ELLE VA BIEN ?

ELLE EST OÙ, MAMAN ?
IL VA FALLOIR QUE TU M'EXPLIQUES, XAVIER.
ET LA MER, C'EST OÙ ?

ALORS C'EST ÇA, LES MÔMES DE LULU ?
HEU OUI MAIS...
BONJOUR, JEUNES GENS.
C'EST QUI, EUX ?

DES AMIS. BON. JE SUIS DÉSOLÉ, MORGANE, MAIS C'EST UNE HISTOIRE D'ADULTES ET...
FAIS PAS CHIER. J'AI SEIZE ANS.

MMH... J'AI PAS LE CHOIX, HEIN ?
NON.

DITES, LES GARS, VOUS VOULEZ BIEN VOUS OCCUPER DES PETITS PENDANT UNE HEURE ?

T'AS DÉJÀ VU UN MAGASIN DE BONBONS GRATUITS ?
ÇA EXISTE PAS.

SERRE-MOI LA LOUCHE. TU T'APPELLES COMMENT ?
PABLO.
SALUT, PABLÓ. MOI, C'EST RICHARD.

ET UN CHEVAL À CASQUETTE, T'EN AS DÉJÀ VU ?
ÇA EXISTE PAS.
ACCROCHE-TOI.

?!! HAHAHA HAHA HAHA!
HÉ... MOLLO QUAND MÊME...
YAAAAH!!

MOI, C'EST JEAN-MARIE. À QUI AI-JE L'HONNEUR ?
HEIN ?
COMMENT TU T'APPELLES ?

HEU... JULES...
UN CHEVAL CHAUVE, ÇA T'IRA ?

MOUAIS ... UN PONEY, PLUTÔT...

JE SENS QU'ON VA BIEN S'ENTENDRE, TOI ET MOI !
HA HA HA !

PUISQUE TU LES LAISSES FAIRE, JE SUPPOSE QU'ON PEUT LEUR FAIRE CONFIANCE. TU LES CONNAIS BIEN ?
HEU OUI OUI. T'EN FAIS PAS...

ALORS ?
QU'EST-CE QUI SE PASSE ICI ?

METTEZ-VOUS À MA PLACE. COMMENT LUI RÉSUMER LA SITUATION ? ELLE NE ME CROIRAIT PAS. JE DÉCIDE DONC DE LUI MONTRER OÙ EN EST LULU.

QUAND NOUS QUITTONS LA GARE, LE CHEVAL, LE PONEY ET LEURS CAVALIERS SONT DÉJÀ LOIN.

IL ME FAUT BIEN UN QUART D'HEURE POUR REMETTRE LA MAIN SUR MES DEUX TOURTEREAUX.

2.3m

ELLE EST LÀ.
428

MORGANE?

JE SUPPOSE QUE C'EST DIFFICILE, MAIS JE...

ALORS C'EST POUR CE MEC-LÀ QU'ELLE NOUS ABANDONNE TOUS? IL EST PAS TERRIBLE.
REMARQUE, ELLE EST PAS TERRIBLE NON PLUS.

TU LE CONNAIS?
NON. ET JE NE CROIS PAS QU'ILS SE CONNAISSENT DEPUIS LONGTEMPS...
...NI QU'ELLE VOUS AIT ABANDONNÉS.

VIENS. JE VEUX VOIR ÇA DE PLUS PRÈS.
?! MORGANE! REVIENS ICI!

VIENS, JE TE DIS!
ARRÊTE. ILS VONT NOUS VOIR!
MAIS NON.

METS TON BRAS LÀ. ON EST DEUX AMOUREUX QUI PASSENT.
QUOI?!
CHUT.

VOILÀ. JE T'AI DIT TOUT CE QUE JE SAIS. TU PEUX ME TROUVER LÂCHE, MAIS JE NE ME SENS PAS AUTORISÉ À INTERVENIR. ELLE VOUS AIME TOUJOURS. ELLE VA REVENIR. J'EN SUIS SÛR.
DIS-MOI QUELQUE CHOSE, MORGANE!

ELLE A BIEN FAIT.
PARDON?

JE TE DIS QU'ELLE A BIEN FAIT DE LOURDER MON PÈRE.
EH BIN... JE T'EN DEMANDAIS PAS TANT.
C'EST UN GROS CONNARD. C'EST BIEN FAIT POUR SA GUEULE.

EH LÀ, EH LÀ... DOUCEMENT, JEUNE FILLE...

JE TE RAPPELLE QUE TON PÈRE EST AUSSI UN DE MES AMIS ET...
ET TU LE TROUVES TELLEMENT FORMIDABLE QUE, QUAND SA FEMME PREND LE LARGE, TU TE DIS QU'ELLE A BIEN RAISON.

C'EST PAS CE QUE J'AI DIT !
ÇA VA, XAVIER. ON SAIT TOUS LES DEUX QUE C'EST UN ABRUTI ALCOOLIQUE. S'IL N'AVAIT PAS MIS LE GRAPPIN SUR VOTRE COPINE LULU IL Y A VINGT ANS, IL NE SERAIT PAS "UN DE TES AMIS".
DIS DONC !

TU SAIS COMMENT IL L'APPELLE QUAND IL EST DE MAUVAIS POIL ?
JE SAIS.

ET TOI ? ÇA T'ARRIVE SOUVENT DE TRAITER CÉCILE DE "GROSSE COURGE" ?
MOI ? JAMAIS.
TU VOIS.

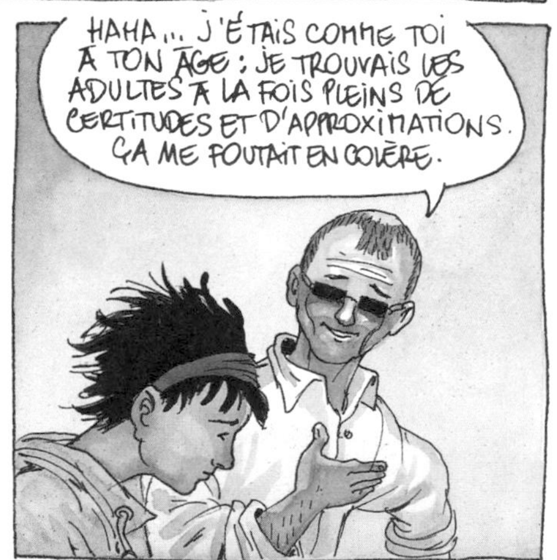
HAHA... J'ÉTAIS COMME TOI À TON ÂGE : JE TROUVAIS LES ADULTES À LA FOIS PLEINS DE CERTITUDES ET D'APPROXIMATIONS. ÇA ME FOUTAIT EN COLÈRE.

ET IL EST TOUS LES JOURS DE MAUVAIS POIL.
N'EXAGÈRE PAS.
BILIP
BILIP

ALLÔ ?
C'EST MOI, CÉCILE, TA FEMME, TU TE SOUVIENS ?
OUI, BON.
LES ENFANTS SONT AVEC TOI ?
OUI OUI. J'AI PAS EU LE TEMPS DE TE RAPPELER ...

C'EST TA "GROSSE COURGE" ?
HAHA ! CHUT.
QUOI ?!

RIEN. C'EST MORGANE, À CÔTÉ DE MOI, QUI FAIT L'IMBÉCILE.
TU LUI AS EXPLIQUÉ ?

HEU OUI. ELLE A BIEN COMPRIS LA SITUATION.
TU M'ÉTONNES.

ELLE RÉAGIT COMMENT ?
PLUTÔT BIEN.
ET LES PETITS ?
LES PETITS ? QUELS P... OH, BIEN AUSSI. ON NE LEUR A PAS TOUT DIT.

BON. ET MAINTENANT ?
JE VAIS RAMENER LES MÔMES.
SANS PARLER À LULU ?

HEU... JE SAIS PAS... TU CROIS QUE JE DEVRAIS ?
OUI.
POUR LUI DIRE QUOI ? "ÇA SUFFIT, LES CONNERIES. RENTRE" ?

OUI. SI TU AVAIS UNE VERSION PLUS DIPLOMATIQUE, CE SERAIT PARFAIT.
MMH... JE VAIS VOIR.

ET TOI ? COMMENT ÇA SE PASSE AVEC TANGUY ?

DEVINE.
ALORS ?

C'EST XAVIER ? ATTENDS-MOI !
JE TE LE PASSE. TU JUGERAS TOI-MÊME.

ALLÔ, XAVIER ? C'EST QUOI, CE BORDEL ?
T'AS RÉCUPÉRÉ LES GAMINS ? PASSE-MOI MORGANE !

ALLÔ, MORGANE ?

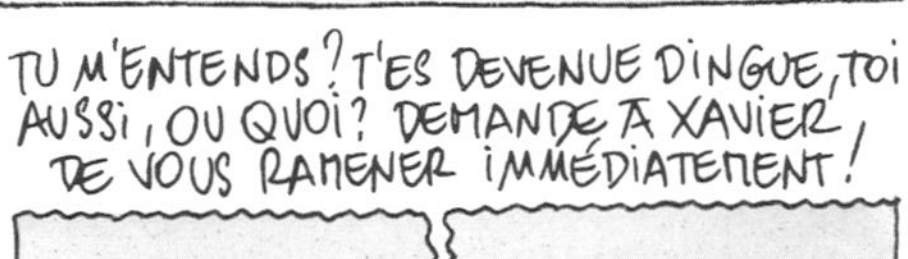
TU M'ENTENDS ? T'ES DEVENUE DINGUE, TOI AUSSI, OU QUOI ? DEMANDE À XAVIER DE VOUS RAMENER IMMÉDIATEMENT !

ET POURQUOI TU RÉPONDS PAS AUX MESSAGES QUE JE LAISSE SUR TON PORTABLE ?! ALLÔ ? T'ES LÀ ?
T'AVISE PAS DE ME RACCROCHER AU NEZ, SINON
BAH SI.
BIP

DIS DONC, XAVIER. LES AMOUREUX ARRIVENT.
HEIN ?

HIHI ! ON EST COMME DES ESPIONS ! C'EST RIGOLO. TU TROUVES PAS ?
HEU... NON. JE TROUVE PAS.

ALLEZ ! ON LES SUIT !
?

MORGANE, NON !

DIS DONC, CÉCILE, JE ME TROMPE OU MA FAMILLE EST EN TRAIN D'EXPLOSER ?
HEU... JE NE SAIS PAS, TANGUY.

MA FEMME SE TIRE. MES GAMINS AUSSI. ET TU "NE SAIS PAS" ?
CE QUI COMPTE, C'EST CE QUE TU SAIS, TOI, NON ?

MMMH ...

TU VEUX DIRE QUOI ? J'ÉTAIS PAS ASSEZ ATTENTIF À ELLE ? CE GENRE DE TRUCS ?
OUI. PEUT-ÊTRE.

ADMETTONS... JE VAIS REPRENDRE TOUT ÇA EN MAIN. FERMEMENT.
C'EST PAS CE QUE JE VOULAIS DIRE, TANGUY.

C'EST CE QUE JE DIS, MOI.
JE PEUX ENTRER ?

IL VA LA FOUTRE À POIL OU QUOI ?
BON, ÇA SUFFIT. ALLONS REJOINDRE TES FRÈRES.

JE NE L'AI JAMAIS VUE EMBRASSER MON PÈRE COMME ÇA...
J'AURAIS PAS DÛ TE MONTRER ÇA.

SI. T'AS BIEN FAIT. MAIS CÉCILE A RAISON : IL FAUT QUE TU LUI PARLES, ET QUE TU NOUS LA RAMÈNES.
OUAIS ?
SINON, JE LE FAIS MOI-MÊME.
NON. C'EST BON. JE M'EN OCCUPE.

C'EST PAS POUR MOI. JE PEUX ME DÉMERDER. MAIS MES FRANGINS ONT ENCORE BESOIN D'ELLE. TU COMPRENDS ?

EN TOUT CAS... HEU...
...JE TE REMERCIE.
TU ME REMERCIES POUR QUOI ?
BIN... PARCE QUE TU L'AS RETROUVÉE, TU VEILLES SUR ELLE, TOUT ÇA...

C'EST NORMAL, JEUNE FILLE. ÇA SERT À ÇA, LES AMIS.

ENLÈVE TON BRAS, GROS PERVERS.

C'ÉTAIT TROP BIEN ! ON A BOUFFÉ PLEIN DE BONBONS !
Y A RICHARD, IL A FAIT SEMBLANT DE S'ÉVANOUIR DANS LE MAGASIN ! IL A FAIT TOMBER PLEIN D'ÉTAGÈRES ! ON EN A PROFITÉ POUR PIQUER PLEIN DE TRUCS !

HEIN?
TECHNIQUE INFAILLIBLE.
APRÈS, ON A FAIT PAREIL CHEZ LA MARCHANDE DE GLACES, MAIS ELLE, ELLE A FAIT LA COURSE AVEC NOUS!
JEAN-MARIE, IL EST PETIT MAIS IL COURT SUPER-VITE!

PRESQUE INFAILLIBLE.
ET ILS NOUS INVITENT À DORMIR!
QUOI?
HEIN OUI, JEAN-MARIE?
ABSOLUMENT.

PAS QUESTION. ILS REPARTENT PAR LE PROCHAIN TRAIN.
HAHA! ON EST D'ACCORD: LE PROCHAIN TRAIN EST DEMAIN MATIN, MON GARS.

N'AYANT AUCUNE IDÉE DE SA RÉACTION, JE DÉCIDE DE NE PAS ABORDER LULU TANT QUE SES ENFANTS SONT LÀ. ET JE NE PEUX DÉCEMMENT PAS LES LAISSER ENTRE LES PATTES DE CES DEUX ZOUAVES.
ON ENTRE AU CAMPING PAR L'ARRIÈRE.

POUR ÊTRE FRANC, JE DOIS AVOUER QUE RESTER ENCORE UNE NUIT ME COÛTE BIEN MOINS QUE LA VEILLE. LA DÉLINQUANCE FAISANT TOUJOURS RAGE, UNE AUTRE CARAVANE EST FRACTURÉE.

NOS HÔTES EXPLIQUENT AUX PETITS QUE DE DANGEREUX BANDITS SQUATTENT AUSSI LE CAMPING.

DES TYPES TERRIBLES ET CRUELS. DÉFENSE **ABSOLUE** D'APPROCHER L'AUTRE CARAVANE HABITÉE.

BREF.
C'EST L'AVENTURE.

HEUREUSEMENT, NOUS DORMIRONS SOUS LA PROTECTION D'AMIS DÉTERMINÉS ET VIGILANTS.

ENSUITE...

C'EST LA FÊTE !

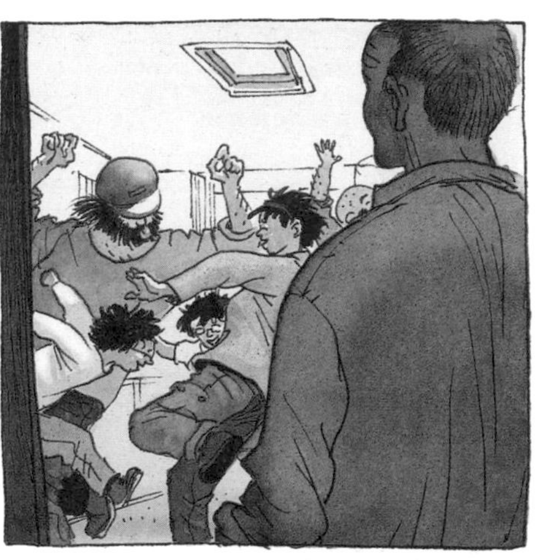

SI J'ÉTAIS FABRICANT DE CARAVANES, C'EST À CES CINQ-LÀ QUE JE CONFIERAIS LES TESTS DE SOLIDITÉ.

C'EST MORGANE QUI S'ENDORT LA PREMIÈRE.

ET QUAND LE SILENCE EST RETOMBÉ, JE SORS PRENDRE L'AIR.
À L'AUTRE BOUT DU CAMPING, DANS LA CARAVANE DES DANGEREUX BANDITS, LE CALME EST REVENU AUSSI.

LA NUIT D'OCTOBRE EST FRAÎCHE.
MARCHER ME FAIT DU BIEN.

JE REPENSE À CETTE JOURNÉE.
QUELLE TRACE VA-T-ELLE LAISSER DANS LA MÉMOIRE DE CES GAMINS ?

C'EST MARÉE BASSE.
LA MER S'EST RETIRÉE ASSEZ LOIN.
D'OÙ JE SUIS, JE VOIS À PEINE LE BLANC DE L'ÉCUME.
ALLEZ, VIENS !

TU ES FOLLE, LULU. IL FAIT FROID.
MOI, J'Y VAIS !
FAIS ATTENTION. C'EST PLEIN DE CAILLOUX, PAR ICI.

JE SAIS !

ÇA ME PREND D'UN COUP : JE FRANCHIS LE MURET.
BONSOIR.
'SOIR...
BELLE NUIT, HEIN ?
OUI. BELLE NUIT.

DITES DONC, ELLE EST PAS FRILEUSE, LA DAME.
NON, HEIN? CETTE FEMME-LÀ, C'EST LA CHALEUR...

JE VOIS ÇA...
C'EST DE LA CHANCE AUSSI.

PARDON?
... DE LA CHANCE. J'EN AI PAS TROP EU, CES DERNIERS TEMPS.
MAIS, LÀ, OUI. C'EST DE LA CHANCE, CETTE FEMME-LÀ.

JE LUI SOUHAITE UNE BONNE NUIT ET JE M'ÉCLIPSE AVANT LE RETOUR DE LULU...

LE LENDEMAIN MATIN, JE REMETS LES MÔMES DANS LE TRAIN.

MORGANE A EXPLIQUÉ À SES FRÈRES QU'ELLE AVAIT PU VOIR LEUR MÈRE, ET QUE CETTE DERNIÈRE "SE REPOSAIT AU BORD DE LA MER".
C'EST À PEINE UN MENSONGE.

QUOI QU'IL EN SOIT, LES DEUX PETITS REPARTENT ENCHANTÉS DE CE SÉJOUR : JEAN-MARIE ET RICHARD LEUR ONT PROMIS QU'ILS SE REVERRAIENT.
IL EST POSSIBLE QUE CE SOIT UN MENSONGE.

CÉCILE VOUS ATTENDRA À LA GARE.
TU ME L'AS DÉJÀ DIT !

JE L'APPRENDRAI PLUS TARD, MAIS AU MOMENT OÙ LES ENFANTS REPARTENT, LES ÉVÉNEMENTS S'ACCÉLÈRENT AU CAMPING.

LULU ...
MMH ?
NE SORS PAS POUR L'INSTANT.

QUOI ?
JE REVIENS.

ME VOILÀ...
AH BAH, QUAND MÊME.

COMMENT ÇA SE FAIT QUE LES TRAVAUX ONT PAS AVANCÉ DANS LE BLOC DEUX ?
JE N'AI PAS...
ON AVAIT DIT CETTE SEMAINE, NON ?

JE SAIS BIEN, MAIS...
ON FAIT LE TOUR.

LES DOUCHES, C'EST PAS FAIT.

LES RACCORDS DE CARRELAGE, C'EST PAS FAIT.

LE CARREAU À CHANGER, C'EST PAS FAIT.
LES TUBES NÉON À INSTALLER, C'EST PAS FAIT.
W.C
DOUCHES

VOUS AVEZ RIEN FOUTU. ÇA ME VA PAS.
VOUS POUVEZ PAS DIRE ÇA. L'AUTRE BÂTIMENT EST FAIT.

HO. JE PARLE DE CELUI-LÀ.
CE SERA FAIT LA SEMAINE PROCHAINE.
MOUAIS ?

QU'EST-CE QUI ME LE PROUVE ?
JE M'Y ENGAGE.

ET VOS FRANGINS, ILS SONT PAS LÀ ?
JE SAIS PAS. POURQUOI ?

VOUS ÊTES TROIS. VOUS AVEZ RIEN FOUTU. ÇA M'ÉPATE.
MAIS IL Y A AUTRE CHOSE.

IL PARAÎT QU'ON VOUS A VU AVEC UNE GONZESSE. J'ESPÈRE QUE VOUS FAITES PAS DE COCHONNERIES DANS MA CARAVANE.

C'EST MA VIE PRIVÉE, ÇA.

PEUT-ÊTRE... MAIS MOI, JE VAIS PAS VOUS PAYER LONGTEMPS À RIEN FOUTRE...
"PAYER", C'EST UN GRAND MOT...

VOUS PLAIGNEZ PAS. VOUS ÊTES LOGÉS.
MAINTENANT, SI ÇA VOUS VA PAS, ON PEUT...
C'EST BON, C'EST BON...

ET CETTE GONZESSE, LÀ, VOUS VOUS LA TAPEZ TOUS LES TROIS ?
HO. SOYEZ POLI.

AH, ÇA FAIT UN SACRÉ TRIO... JE ME DEMANDE SI JE VAIS PAS FINIR PAR AVOIR DES EMMERDEMENTS AVEC VOUS.

JE SUIS TROP BON, MOI. ÇA ME PERDRA.

AH OUI... UNE DERNIÈRE CHOSE :

FAUDRAIT TONDRE UNE DERNIÈRE FOIS AVANT L'HIVER. ET C'EST PAS LA PEINE D'ATTENDRE QU'IL PLEUVE.
JE FAIS ÇA TOUT DE SUITE.

BIEN DORMI ?
OUI OUI.

C'ÉTAIT QUI ?
LE PROPRIÉTAIRE DU CAMPING... IL EST PAS MÉCHANT ...

MAIS BON... IL FAUT QUE JE BOSSE UN PEU. TU FAIS QUOI ?
HEU... JE VAIS ALLER ME BALADER.

TU AS RAISON. À TOUT À L'HEURE.
À PLUS TARD.

CÉDEZ LE PASSAGE

ET ENSUITE ?

ENSUITE? EH BIEN... MOI, JE REVIENS VERS LULU...

MAIS JE NE LA RETROUVE PAS TOUT DE SUITE.

EN FAIT, ELLE PASSE UNE HEURE OU DEUX SUR LE PORT.

SEULE.

PUIS ELLE REVIENT SUR SES PAS. ELLE A QUELQUE CHOSE À DIRE À CHARLES.

IL COMPREND IMMÉDIATEMENT.

ELLE LUI DIT JUSTE QU'IL EST TEMPS
QU'ELLE VA PARTIR.

IL ENCAISSE.
IL PARVIENT SEULEMENT À DEMANDER :
" POUR TOUJOURS ? "

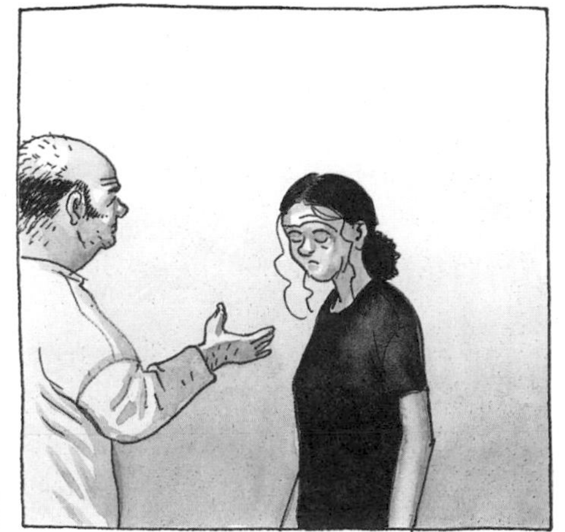

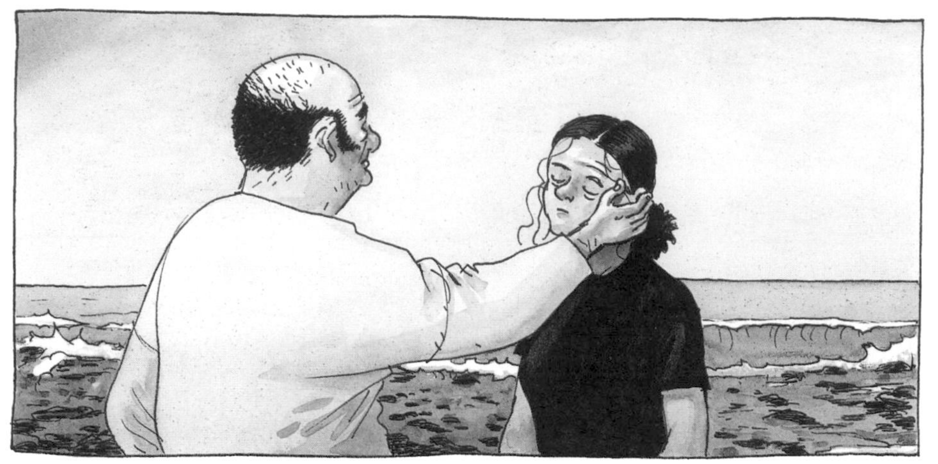
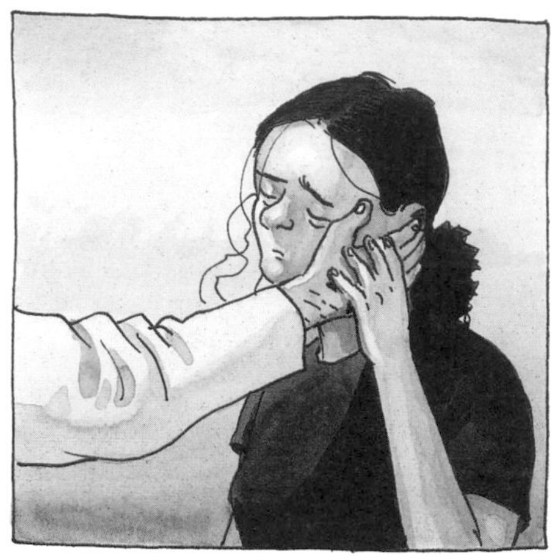

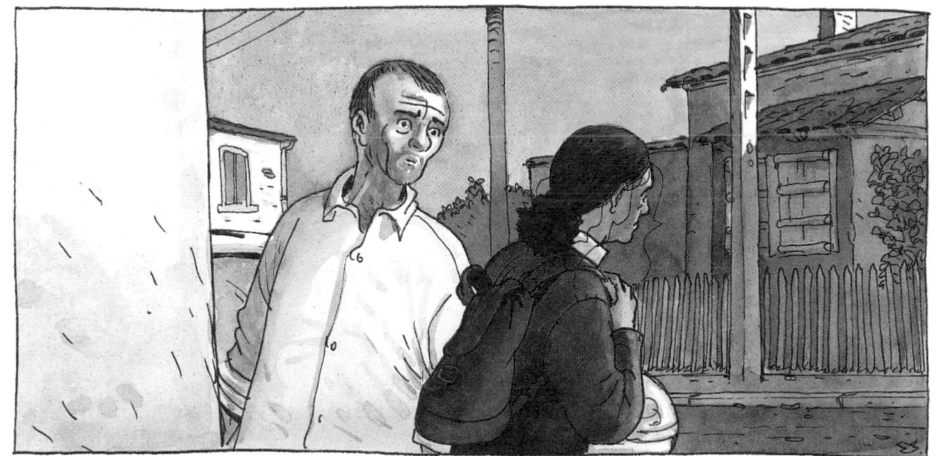

LULU...

XAVIER ?

ON VA BOIRE UN CAFÉ ?

ON S'INSTALLE SUR UNE TERRASSE TRANQUILLE.

JE N'AI PAS BESOIN DE LUI POSER BEAUCOUP DE QUESTIONS. NI DE JUSTIFIER MA PRÉSENCE.

EN FAIT, À CE MOMENT-LÀ, JE CROIS QU'ELLE EST PRESQUE CONTENTE DE ME VOIR.

PARLER LUI FAIT DU BIEN. ALORS ELLE PARLE.

LONGTEMPS.

C'EST LÀ QUE J'APPRENDS TOUT CE QUE JE VIENS DE VOUS RACONTER.

ELLE ME DEMANDE AUSSI COMMENT VONT TANGUY ET LES ENFANTS.

JE LUI EXPLIQUE QUE TANGUY EST FURIEUX, ET QU'IL S'EST FAIT UNE ENTORSE.

ELLE SOURIT.

HEIN?

À QUOI TU JOUES, LULU ?

UNE SEMAINE ... OU DEUX.
POUR VOIR.
ET TES ENFANTS? JE LEUR DIS QUOI?

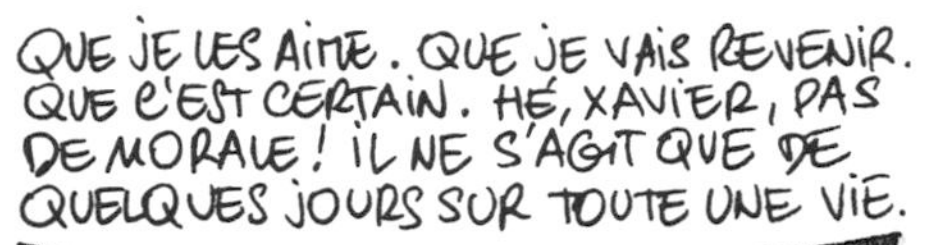
QUE JE LES AIME. QUE JE VAIS REVENIR. QUE C'EST CERTAIN. HÉ, XAVIER, PAS DE MORALE! IL NE S'AGIT QUE DE QUELQUES JOURS SUR TOUTE UNE VIE.

MOUAIS.
JE T'AI TOUT RACONTÉ. SI TU LE JUGES UTILE, TU PEUX EN FAIRE AUTANT À LA MAISON ET AUX COPAINS.
PARLER DE CHARLES À TANGUY? MERCI BIEN!

HAHA HA!
HÉHÉ!

TU ES SÛRE DE TOI ?

BIEN SÛR QUE NON.

ALLEZ.
RENTRE AVEC MOI.
NON.
CAFE DE LA PLAGE

MAIS QU'EST-CE QUE TU VAS FAIRE? AS-TU SEULEMENT DE QUOI TE PAYER UN CAFÉ?

CELUI-LÀ, J'ACCEPTE AVEC PLAISIR QUE TU ME L'OFFRES.
JE PEUX TE PRÊTER UN PEU D'
NON, XAVIER.
EMBRASSE CÉCILE DE MA PART.
TU FAIS QUOI MAINTENANT ?
JE SAIS PAS. JE VAIS DESCENDRE VERS LE SUD, SUR LA CÔTE.

SOIS PRUDENTE, LULU.
OUI, PAPA.

HA HA HAHAHA !
HAHA HAHA !

VOILÀ.
J'AI RÉCUPÉRÉ MA VOITURE. JE SUIS RENTRÉ.
C'ÉTAIT IL Y A DIX JOURS ...

DE CE QUI S'EST PASSÉ ENSUITE, JE NE SAIS RIEN.

J'ÉTAIS À PEU PRÈS CERTAIN QU'ELLE REVIENDRAIT... MAIS JE N'AURAIS JAMAIS IMAGINÉ QUE, CE JOUR-LÀ, SON SALON SERAIT TRANSFORMÉ EN CHAMBRE MORTUAIRE.
LE PLUS ABSURDE, C'EST QUE NOUS NE SAVONS TOUJOURS PAS CE QUI S'EST PASSÉ...

OUAIS... DRÔLE DE VEILLÉE FUNÈBRE, HEIN ?
UNE VEILLÉE FUNÈBRE, CE N'EST JAMAIS "DRÔLE" !

C'EST UNE EXPRESSION ! LÀ, QUAND MÊME, TU AVOUERAS...
TU AS VÉCU DES MOMENTS DIFFICILES, MAIS LE PLUS DUR EST SANS DOUTE DE NE PAS SAVOIR CE QUI EST ARRIVÉ CES DERNIERS JOURS, HEIN ?
BAH NON.

PARCE QUE MOI...

...JE PEUX VOUS RACONTER CE QUI S'EST PASSÉ ENSUITE.

QUOI ?!
COMME ELLE TE L'A DIT, ELLE VEUT DESCENDRE VERS LE SUD, ALORS, JUSTE APRÈS TON DÉPART, ELLE FAIT DU STOP SUR LA ROUTE DE...
HÉ, MORGANE...

QU'EST-CE QUE VOUS FAITES LÀ, LES CRAPAUDS ?
ON N'ARRIVE PAS À DORMIR ...
LES PAUVRES ...

C'EST LE MILIEU DE LA NUIT, LÀ...
ON SAIT !

ON PEUT LIRE UN AUTRE LIVRE ?

DONC OUI.
À QUARANTE ANS PASSÉS, POUR LA PREMIÈRE FOIS DE SA VIE, VOTRE AMIE LULU FAIT DU STOP.

ET ELLE S'Y PREND MAL, MA PAUVRE PETITE MAMAN. ELLE EST GÊNÉE D'ATTENDRE LÀ COMME UNE ANDOUILLE. ALORS, AU LIEU DE RESTER À LA SORTIE DE LA VILLE, ELLE SE MET À MARCHER SUR LE BORD DE LA ROUTE. ÇA LUI DONNE UNE CONTENANCE.

MAIS, DU COUP, LES VOITURES ONT DÉJÀ PRIS DE LA VITESSE. ELLES NE S'ARRÊTENT PAS. TOUS LES GENS QUI FONT DU STOP SAVENT ÇA !
ELLE PENSE À LA REPRÉSENTANTE QUI L'A AMENÉE SUR LA CÔTE. ELLE SE DIT QU'ELLE VA PEUT-ÊTRE PASSER ET S'ARRÊTER.
ENFIN BON... N'IMPORTE QUOI.
MAIS... MAIS, ATTENDS, MORGANE. COMMENT TU SAIS ÇA ?

C'EST ELLE QUI ME L'A DIT, TIENS !
QUOI ? TU L'AS REVUE, TOI AUSSI ?

C'EST CE QUE JE SUIS EN TRAIN DE VOUS RACONTER. JE CONTINUE ?
OUI, OUI.
BIEN SÛR.

ELLE MARCHE PRESQUE DEUX HEURES. PUIS QUELQU'UN S'ARRÊTE.

COUP DE CHANCE : IL DESCEND VERS BORDEAUX. IL ESSAIE D'ENGAGER LA CONVERSATION. IL LUI DEMANDE CE QU'ELLE FAIT, OÙ ELLE VA...

ELLE N'A RIEN À LUI RÉPONDRE ET ÇA LA FAIT DOUCEMENT PANIQUER.

AU BOUT D'UNE DEMI-HEURE DE ROUTE, ELLE BAFOUILLE UN PRÉTEXTE MITEUX POUR SE FAIRE DÉPOSER.

ELLE LE REMERCIE.

TU PARLES D'UNE AVENTURIÈRE.

LE SOIR TOMBE. IL FAIT UN PEU FROID.

ELLE HÉSITE. ELLE NE SAIT PAS OÙ ALLER. LE CAFARD LA GAGNE. MAIS ELLE ESSAIE DE SE RAISONNER.
ELLE REGRETTE UN PEU DE N'AVOIR PAS ACCEPTÉ L'ARGENT QUE TU AVAIS PROPOSÉ DE LUI PRÊTER, XAVIER.

ELLE PASSE LA NUIT DEHORS.
ELLE N'A PAS FAIM.

MAIS ELLE A FROID.
VRAIMENT FROID.

Chez Tonton
BAR RESTAURANT

LE SOLEIL DU MATIN, C'EST COMME UNE DOUCHE CHAUDE.

ELLE DÉPENSE SES DERNIERS EUROS.

CETTE JOURNÉE EST UNE JOURNÉE BIZARRE.

UNE JOURNÉE VIDE.

ENGOURDIE.

ABSENTE.

C'ÉTAIT QUOI, SON BUT, EN PARTANT COMME ÇA ? VOIR SI ELLE POUVAIT S'EN SORTIR SEULE ?
EH BIN, ELLE VOIT.

ELLE VOULAIT DES SENSATIONS ?

ELLE EST SERVIE.

PUIS ELLE SE RESSAISIT. ELLE SE DIT QU'IL FAUT PRENDRE LES CHOSES EN MAINS.

MOI, JE CROIS QU'À CE MOMENT-LÀ, ELLE PERD UN PEU LES PÉDALES.

DISTRIBUTEUR DE BILLETS
24/24

24/24
IL EST TÔT. LA RUE EST DÉSERTE.

MAIS NON.

MAIS NON.
MAIS NON !
ALLEZ, QUOI !

MAIS NON !

AH ?
AH ?

AAAH !

MON SAC ! MON SAC !

MON SAAAAC !

MON SA
PARDON, PARDON ! CHUT, S'IL VOUS PLAÎT !

CRIEZ PAS. JE VOUS LE RENDS.
HEIN ?

JE NE PEUX PAS ME RELEVER TOUTE SEULE.

VOILÀ. ÇA VA ALLER ?
JE SUIS CARDIAQUE ...
JE... JE SAVAIS PAS...

"JE SAVAIS PAS" ?!
EXCUSEZ-MOI ! JE SUIS PAS COMME ÇA. C'EST LA PREMIÈRE FOIS QUE JE FAIS ÇA...
ÇA SE VOIT.

JE... JE SAIS PAS CE QUI M'A PRIS.
HAAAA... MA HANCHE...
VOUS AVEZ MAL ?

BAH, ÉVIDEMMENT QUE J'AI MAL ! VOUS ÊTES UNE DRÔLE DE FILLE, VOUS.
QU'EST CE QUE JE PEUX FAIRE ?

VOUS EN AVEZ ASSEZ FAIT. VOUS AVEZ DE LA CHANCE QUE J'APPELLE PAS LA POLICE.
FAITES PAS ÇA, S'IL VOUS PLAÎT.

HOOUUU... JE VAIS PAS Y ARRIVER...

VOUS HABITEZ LOIN ? JE PEUX VOUS ACCOMPAGNER ?
BAH TIENS ! POUR M'ÉGORGER CHEZ MOI ?

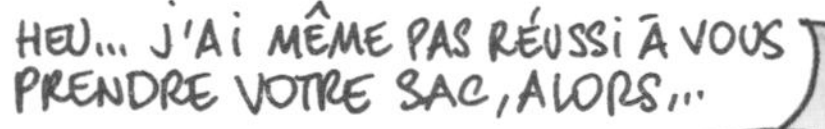
HEU... J'AI MÊME PAS RÉUSSI À VOUS PRENDRE VOTRE SAC, ALORS...

OUI BIN SI ÇA SE TROUVE, C'ÉTAIT UNE RUSE POUR ME RACCOMPAGNER ET ENTRER CHEZ MOI.

HEU... JE VOUS PROMETS QUE NON.
BAH HÉ. AVEC TOUT CE QU'ON VOIT MAINTENANT...

JE SUIS DÉSOLÉE...
ME TIREZ PAS COMME ÇA SUR L'ÉPAULE.

ÇA VA, VOTRE HANCHE ?
RESTAURANT BAR
LAMBOT VOYAGES

NON.
JE SUIS VRAIMENT DÉSOLÉE.
VOUS L'AVEZ DÉJÀ DIT.

VOUS N'AVEZ PAS D'AUTRES MOYENS DE GAGNER VOTRE VIE ? VOUS AVEZ POURTANT PAS L'AIR D'UNE CLOCHARDE...
UNE QUOI ?

ON ARRIVE.

AU REVOIR.
EXCUSEZ-MOI ENCO...
ENFIN...
AU REVOIR.

VOUS PLEUREZ ?
NON NON.

ÇA VA PAS FORT, HEIN ?
JE SUIS PAS UNE CLOCHARDE !

BON... VENEZ MANGER QUELQUE CHOSE AVANT DE REPARTIR.
NON MERCI.
DISCUTEZ PAS.
ET FAITES ATTENTION : LA PORTE EST BASSE.

HOOUUUUUU...
JE VOUS AVAIS PRÉVENUE.
ASSEYEZ-VOUS. JE VAIS FAIRE DES TARTINES.

IL ÉTAIT LOIN, VOTRE DERNIER REPAS, HEIN ? ÇA FAIT DU BIEN ?
OUI... MERCI.

ÇA DONNE FAIM, DE REGARDER LES GENS MANGER. IL RESTE UN PEU DE CHARCUTERIE DANS LE FRIGO. VOUS POUVEZ LA SORTIR ?

HEU... ELLES SENTENT BIZARRE, VOS RILLETTES. ELLES SONT LARGEMENT PÉRIMÉES.
ET ALORS ? VOUS CROYEZ PAS QUE JE VAIS JETER DE LA NOURRITURE ?

"MADAME PILON, À VOTRE ÂGE, VU L'ÉTAT DE VOTRE COEUR ET VOTRE RÉGIME ALIMENTAIRE, VOUS ÊTES UNE INSULTE VIVANTE AUX RÈGLES ÉLÉMENTAIRES DE LA DIÉTÉTIQUE."
C'EST CE QUE ME DIT TOUJOURS MON MÉDECIN.

SI CE GAMIN IMAGINE QU'IL VA DÉCIDER À MA PLACE CE QUE JE MANGE, C'EST UN SACRÉ NAÏF !

BON.
ET VOUS ?
RACONTEZ UN PEU.

RACONTER QUOI ?
FAITES PAS DE MANIÈRES.

ALORS ELLE FAIT PAS DE MANIÈRES.
ELLE RACONTE.
D'AILLEURS, JE SAIS PAS SI VOUS AVEZ REMARQUÉ, MAIS, À CAUSE DE CES GENS INTRIGUÉS PAR SON ESCAPADE, JAMAIS ELLE N'A TANT PARLÉ D'ELLE, VOTRE AMIE LULU, ELLE QUI ÉTAIT SI DISCRÈTE, D'HABITUDE, ICI.

DONC, OUI, ELLE PARLE. MOI JE SUIS PAS SÛRE QUE CE SOIT SI CAPTIVANT, LES AVENTURES DE MA MÈRE. IL SE PASSE PAS TANT DE CHOSES QUE ÇA.
MAIS LA VIEILLE ÉCOUTE TOUT, BIEN SAGEMENT.

... ET... HEU... VOILÀ. J'AI PAS PASSÉ UNE TRÈS BONNE NUIT SUR LA PLAGE, ET CE MATIN... HEU... VOUS AVEZ VU...

HA BAH OUI. J'AI VU.

JE VOUS REMERCIE POUR LE PETIT DÉJEUNER ET POUR... ENFIN... POUR TOUT. JE VAIS REPARTIR MAINTENANT.
OÙ ?

BIN... JE SAIS PAS.
ET VOUS ALLEZ DORMIR OÙ, CE SOIR ?
HEU... JE VERRAI.

ET POUR MANGER ? ÇA VA ÊTRE L'HÉCATOMBE CHEZ LES OCTOGÉNAIRES DU DÉPARTEMENT.

VOUS MOQUEZ PAS DE MOI. J'AI HONTE.
ET MOI, J'AI UNE PROPOSITION À VOUS FAIRE.

UNE PROPOSITION ?

OUAIS. UNE DRÔLE DE PROPOSITION.
FIGUREZ-VOUS QUE CETTE PETITE VIEILLE LUI OFFRE DE L'HÉBERGER, LE TEMPS QU'ELLE VOUDRA.

ET EN ÉCHANGE ?

EN ÉCHANGE, RIEN, OU PRESQUE.
LA VIEILLE DEMANDE JUSTE À MA MÈRE DE CONTINUER À LUI RACONTER CE QUI LUI ARRIVE.

BIZARRE, COMME IDÉE...
OUI, HEIN? C'EST D'AILLEURS CE QUE LUI RÉPOND MAMAN.

ALORS LA MÉMÉ LUI EXPLIQUE QU'ELLE A QUATRE-VINGT-NEUF ANS ET QU'ELLE S'EMMERDE TERRIBLEMENT.

ET, MÊME SI LEUR RENCONTRE A ÉTÉ UN PEU... BRUTALE, DÉCOUVRIR LE RÉCIT DES "AVENTURES DE LULU" LUI A VRAIMENT PLU.
ELLE VEUT CONNAÎTRE LA SUITE. C'EST AUSSI SIMPLE QUE ÇA. Y A PAS D'ENTOURLOUPE.
DONC LE MARCHÉ EST SIMPLE: LULU CONTINUE SON EXPÉRIENCE, SON ERRANCE — APPELEZ ÇA COMME VOUS VOULEZ — ET, LE SOIR, ELLE VIENT LUI RACONTER.

MAMAN LA PRÉVIENT QU'IL NE VA SANS DOUTE PAS LUI ARRIVER GRAND-CHOSE.
"JE PRENDS LE RISQUE", RÉPOND L'AUTRE, " LA PROBABILITÉ QUE CE SOIT AUSSI PLAT QUE MA PROPRE EXISTENCE EST QUASIMENT NULLE".

VOILÀ DONC VOTRE LULU QUI HÉSITE.

ELLE VIENT DE PASSER LA NUIT DEHORS.

ELLE N'A PLUS UN ROND.

ON PEUT COMPRENDRE QU'ELLE SOIT TENTÉE.

JE M'APPELLE MARTHE.
HEU... LULU.

ALORS ? VOUS EN DITES QUOI ?
HEU... MAIS... VOUS N'AVEZ PLUS PEUR DE MOI ?
HIHI. SI VOUS M'EMMERDEZ, JE VOUS FOUS UN COUP DE COUTEAU ENDUIT DE RILLETTES PÉRIMÉES. ÇA PARDONNE PAS.

JE VAIS RÉFLÉCHIR.
TRÈS BIEN. MA PORTE RESTE OUVERTE.
BONNE JOURNÉE.

HAAAA D'ACCORD !!!
OUI. DRÔLE DE BONNE FEMME. DOMMAGE QUE VOUS N'AYEZ PAS EU L'OCCASION DE LUI PARLER. SUR CES DERNIERS JOURS, ELLE AURAIT PROBABLEMENT PU VOUS EN RACONTER PLUS QUE MOI.
TOI, TU LUI AS PARLÉ ?
TRÈS PEU.

SEULEMENT ÊTRE LÀ.
VIVANTE.
ABSOLUMENT VIVANTE.

EN TOUT CAS, C'EST COMME ÇA QU'ELLE EN PARLE. ET POUR ÊTRE FRANCHE, MOI, JE VOIS PAS CE QU'IL Y A DE SI EXTRAORDINAIRE À RIEN FOUTRE...
TU ES TROP JEUNE!
HAHA HA!

OUAIS?
ÇA VEUT DIRE QU'À VOTRE ÂGE, JE TROUVERAI ÇA NORMAL DE LAISSER TOMBER SES ENFANTS COMME DES VIEILLES CHAUSSETTES ?

PERSONNE ICI N'A DIT QU'ON ÉTAIT D'ACCORD AVEC CE QU'ELLE A FAIT...
VOUS N'AVEZ PAS BEAUCOUP DIT LE CONTRAIRE NON PLUS.

MOI, APRÈS L'AVOIR VUE AVEC CE CHARLES, JE REVIENS ET JE DIS À MON PÈRE: "NOTRE PLACE, C'EST PAS CHEZ XAVIER ET CÉCILE. NOUS AUSSI, ON PEUT TRÈS BIEN SE PASSER D'ELLE...

... ON RENTRE À LA MAISON!"

OUF... TU M'APPORTERAS UNE BIÈRE, MORGANE.
T'AS QU'UNE CHEVILLE PÉTÉE. T'AS QU'À Y ALLER SUR L'AUTRE.

TU OBÉIS À TON PÈRE!

T'AS RAISON. GUEULE-MOI DESSUS. ÇA T'A BIEN RÉUSSI AVEC TA FEMME. ON VA VOIR CE QUE ÇA DONNE AVEC TA FILLE.

DIS DONC, MORGANE... ELLE REVIENT QUAND, MAMAN?

BIENTÔT.

ELLE SE REPOSE. JE VOUS L'AI DÉJÀ DIT.
ET ON VA LUI PROUVER QU'ON PEUT SE DÉBROUILLER SANS ELLE.

MOUAIS !!!
COMMENT ELLE VA LE SAVOIR, PUISQU'ELLE EST PAS LÀ ?
ON LUI RACONTERA.

ET ON LUI DIRA QUE JULES, IL ME PIQUE MES SLIPS !
C'EST PAS VRAI !
LE ROUGE, IL EST À MOI.
NON !

SI ! TU DIS ÇA PASQUE T'EN AS PLUS DE PROPRES !
HEIN, MORGANE, QUE C'EST LE MIEN ?
NON. IL EST À MOI.

N'IMPORTE QUOI, L'AUTRE !
C'EST PAS UN SLIP DE FILLE !
ALORS, ME PRENEZ PAS LA TÊTE AVEC ÇA !
CE SOIR, POUR LE DÎNER, ON FAIT DES CRÊPES, D'ACCORD ?

OUAIS ! C'EST MOI QUI CASSE LES ŒUFS !
NON ! MOI !

J'AIME PAS TROP LES CRÊPES, MOI.
HÉ BIN T'EN MANGES PAS.

HÉ, MORGANE, TU NOUS EN LAVERAS, DES SLIPS ?
SINON, ON LE DIRA À MAMAN !

C'EST PAS BON ?
HEU... SI, SI...

C'EST UNE RECETTE QUE JE TIENS DE MA GRAND-MÈRE. DES RESTES DE COCHON CUITS PENDANT DES HEURES. J'EN MANGE UNE FOIS PAR SEMAINE DEPUIS LA GUERRE. ÇA PEUT PAS ÊTRE MAUVAIS.

JE VOUS EN REMETS ?
NON, NON.
CONTINUEZ VOTRE HISTOIRE AVEC LE CHIEN.

OUI... ALORS, VOILÀ : ELLE LUI REMET SA LAISSE. ELLE EST ESSOUFFLÉE D'AVOIR COURU. ELLE EST PAS CONTENTE. ELLE M'ACCUSE D'AVOIR VOULU LUI VOLER SON CHIEN !
ET C'ÉTAIT PAS VRAI ?

MAIS NON ! JE LUI DIS : "C'EST VOTRE CHIEN QUI M'A SAUTÉ DESSUS. VOUS AVEZ BIEN VU !"

"C'EST BIZARRE, PIRATE FAIT JAMAIS ÇA...", QU'ELLE ME RÉPOND. ELLE RONCHONNE UN PEU, MAIS ILS REPARTENT TOUS LES DEUX.
LE CHIEN TIRE SUR SA LAISSE... ET IL LUI ÉCHAPPE ENCORE !

ALORS MOI, JE SAIS PAS POURQUOI, JE ME METS À CRIER...

"VAS-Y, PIRATE ! COURS ! COURS !"

ET LE CHIEN PART VENTRE À TERRE SUR LA PLAGE, AVEC SA MAÎTRESSE QUI TROTTINE DERRIÈRE EN HURLANT "ICI, PIRATE ! ICI !"
HI HI HI HI HI

JE SAIS PAS POURQUOI J'AI RÉAGI COMME ÇA...
BAH, C'EST ÉVIDENT : PARCE QUE CE CHIEN EST COMME VOUS : IL A ENVIE DE VOIR DE NOUVELLES TÊTES.

QUOI ?
À MON AVIS, LE MEILLEUR AMI DE L'HOMME, C'EST PAS LE CHIEN, C'EST LE COCHON. VOUS EN VOULEZ D'AUTRE ?

S'IL TE PLAÎT, MORGANE. ELLE EST OÙ?
SI T'AS RIEN À FAIRE, VA DONC AIDER LES PETITS À PRÉPARER LEUR CARTABLE POUR DEMAIN.

MERDE, MORGANE! C'EST PAS SEULEMENT TA MÈRE! C'EST MA FEMME, AUSSI, JE TE RAPPELLE!

ET TU VÉRIFIERAS QU'ILS ONT BIEN FAIT LEURS LEÇONS.

POURQUOI TU ME TRAITES COMME ÇA?
PARCE QUE TU LUI FAIS PAS CONFIANCE.
TOI OUI?

HEU... OUI. BIEN SÛR.
JE VAIS M'OCCUPER DES PETITS.

POURQUOI T'AS LES YEUX ROUGES, PAPA?

C'EST RIEN... C'EST MORGANE QUI ÉPLUCHE DES OIGNONS DANS LA CUISINE.
TROP DÉGUEU, LES OIGNONS!
TROP!

VOUS L'AVEZ VUE, MAMAN?
ON T'A DÉJÀ DIT NON.
J'IRAIS BIEN, MOI. C'EST OÙ DÉJÀ?
MORGANE DIT QU'IL FAUT L'ATTENDRE.

VOTRE PAPA EST UN PEU TRISTE... C'ÉTAIT QUOI, LE NOM DE LA GARE?

ET PENDANT QU'ICI, JE TENTE DE MAÎTRISER LES TROIS MÂLES DE LA MAISON ET LEURS HISTOIRES DE SLIPS...

... MADAME SE BALADE LE NEZ AU VENT,

LE BAR

MADAME DISCUTE AVEC LES GENS.

MADAME PAPOTE AVEC SA NOUVELLE COPINE.

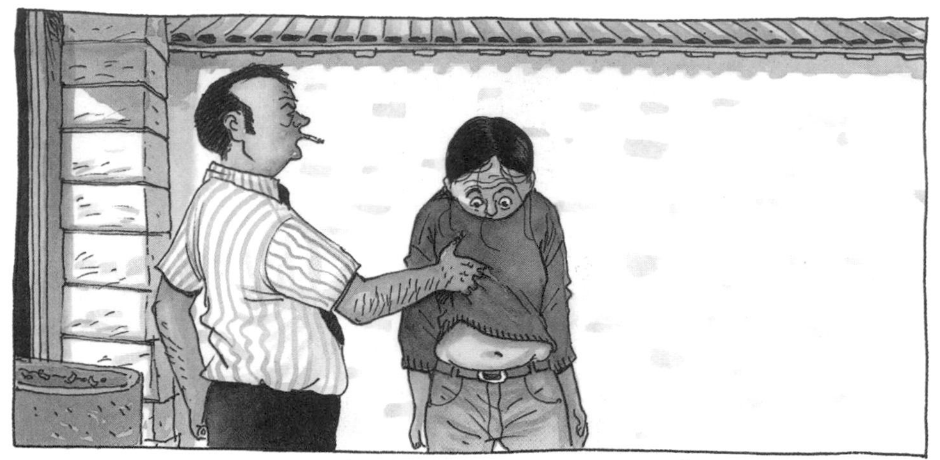

IL FUMAIT SUR LE SEUIL D'UN ENTREPÔT, DANS UNE RUELLE. J'AI DÛ LUI SOURIRE, JE SAIS PAS. IL ME DEMANDE SI JE ME BALADE. JE M'ARRÊTE. ON PARLE CINQ MINUTES. JE DIS QUE JE SUIS EN VACANCES ICI. "SEULE?" IL ME DEMANDE. J'AI À PEINE LE TEMPS DE RÉPONDRE OUI ET HOP...
HI HI HI!

QUEL EFFET ÇA VOUS A FAIT?
QUOI DONC?
BAH, CETTE MAIN INCONNUE, SUR VOUS. C'ÉTAIT BIEN?

MAIS NON! PAS DU TOUT! JE SUIS PAS COMME ÇA, ENFIN!
VOUS AVEZ PAS TOUJOURS DIT ÇA. LES MAINS DE CHARLES, C'ÉTAIT AUSSI CELLES D'UN INCONNU.

ÇA N'A RIEN À VOIR!
HI HI HI! ELLE EST VEXÉE!

HI HI HI!
PFFFFF...

JE ME SUIS ENFUIE, VITE FAIT! JE L'AI JUSTE ENTENDU GUEULER : "ALLUMEUSE!"
HI HI HI!

VOILÀ.
C'EST ÇA QU'ELLE VOULAIT.
ELLE L'A.

À CE MOMENT-LÀ, DANS LES MUSCLES DE SON DOS CALÉ DANS LES ROCHERS, ELLE A LE SENTIMENT DE RESSENTIR LA ROTATION DE LA TERRE.

C'EST CE QU'ELLE M'A DIT, EN TOUT CAS.
FAIS GAFFE ! MERDE.

ELLE GLISSE ! J'AI LES MAINS MOITES !
REDRESSE, PUTAIN ! LE DERNIER TIROIR EST PLEIN ! IL S'EST OUVERT !

QUOI ? AH LA VACHE ! J'AI UNE CRAMPE ! ON POSE ! ON POSE !
RETIENS-LA ! TU VAS PÉTER LE TIROIR !

AÏE ! JE LÂCHE ! JE LÂCHE !
FAIS UN EFFORT ! ÇA CRAQUE !

JE PEUX PLUS ! JE PEUX PLUS !
HEU... JE PEUX VOUS AIDER ?
ET VOILÀ ! LE TIROIR EST PÉTÉ !

AH HEU... OUI !
DITES-MOI.
SI VOUS POUVIEZ ÔTER LES VÊTEMENTS QUI COINCENT ET FERMER LE...
NON, ÇA VA !

ÇA ME GÊNE PAS. J'AI LE TEMPS.
C'EST BON ! ON VA SE DÉBROUILLER !

C'EST COMME VOUS VOULEZ ...
ON VOUS A RIEN DEMANDÉ ! REGARDE-MOI CE MERDIER !
HOOUUU

TOUT DEVAIT ÊTRE VIDÉ NORMALEMENT ELLE VA PAS ÊTRE CONTENTE !
ELLE AVAIT QU'À EMBAUCHER DE VRAIS DÉMÉNAGEURS !

C'EST BIZARRE, NON, DE REFUSER DE L'AIDE ?
C'ÉTAIT OÙ ?

DANS LA RUE PARALLÈLE À LA PLAGE... JUSTE AU-DESSUS DE CHEZ VOUS.
MMH...

POURQUOI ?

JE LA CONNAIS, LA PETITE VIEILLE QUI HABITE LÀ. ÇA VEUT DIRE QU'ELLE PART EN MAISON DE RETRAITE.

ÇA M'ÉTONNE PAS. ELLE ARRIVAIT PLUS À SE LAVER TOUTE SEULE.

JE PEUX VOUS POSER UNE QUESTION ?
HEU... OUI.
RÉPONDEZ-MOI FRANCHEMENT.

EST-CE QUE JE PUE ?

24H/2
CREDIT

EN L'OBSERVANT, JE ME DEMANDE SI, FINALEMENT, J'EN SUIS CAPABLE OU PAS.

ALORS JE M'APPROCHE D'ELLE...

JE LA SUIS DE LOIN, QUELQUES MINUTES...

ET, COMME AVEC VOUS, QUAND JE SUIS SÛRE QUE PERSONNE NE NOUS VOIT, JE FONCE VERS ELLE EN COURANT!

JE LA BOUSCULE. ELLE SE CASSE LA FIGURE SANS RIEN DIRE.
JE... HEU... JE LUI FILE UN GRAND COUP DE PIED DANS LE VENTRE.

ELLE HURLE. JE LUI EN DONNE UN AUTRE, MOINS FORT. ELLE SE TAIT.

JE LUI ARRACHE SON SAC ET JE M'ENFUIS.
DÈS QUE J'AI TOURNÉ LE COIN DE LA RUE, J'AI VU ÇA DANS LES FILMS, JE ME METS À MARCHER TRANQUILLEMENT.

PUIS JE VAIS M'ASSEOIR À L'ÉCART SUR LA PLAGE. JE FERME LES YEUX... C'EST BIZARRE, MAIS JE... J'ÉPROUVE UNE SORTE DE FIERTÉ D'AVOIR RÉUSSI À FORCER MA NATURE.
C'EST PAS RIEN, NON?
HEU...

MAIS ATTENTION...

APRÈS, JE REVIENS EN VILLE...
ET JE JETTE LE SAC DANS UNE BENNE.

VOLER, C'EST SÛR, JE POURRAIS PAS.
AH?

J'AI PLUS DE QUARANTE ANS, ET C'EST LA PREMIÈRE FOIS QUE J'ESSAIE VRAIMENT LA VIOLENCE PHYSIQUE.

EH BIN, ÇA A QUELQUE CHOSE DE GRISANT.

VOUS L'AVEZ PEUT-ÊTRE BIEN ÉCHAPPÉ BELLE, EN FAIT.

VOUS... VOUS AVEZ PAS FAIT ÇA, QUAND MÊME ?

JE L'AI PAS TUÉE, NON PLUS. ET PUIS, ÇA A ÉTÉ TRÈS BREF.

BIN MERDE.

J'ESPÈRE QUE C'EST PAS UNE AMIE À VOUS.

C'EST PAS POSSIBLE ! C'EST PAS VRAI !
BIEN SÛR QUE NON !
HAHA HA !
NON?

HIHIHI ! HIHIHI ! J'AI MARCHÉ COMME UNE GAMINE !
HAHA HA !
HI HI HI !

IL M'EST RIEN ARRIVÉ DE NOTABLE AUJOURD'HUI, MAIS JE VOULAIS VOUS RACONTER QUELQUE CHOSE, ALORS J'AI INVENTÉ ÇA ! VOUS M'EN VOULEZ ?

HI HI HI ! NON...

...C'EST BIEN QUAND MÊME !

MAIS... QU'EST-CE QUI LUI A PRIS ?

COMMENT ÇA, "QU'EST-CE QUI LUI A PRIS" ?
DES COUPS DE PIED DANS LE VENTRE... TU TE RENDS COMPTE ?

HÉ. ELLE L'A SEULEMENT IMAGINÉE, CETTE AGRESSION. ELLE L'A PAS COMMISE !
JE SAIS BIEN. MAIS J'AI L'IMPRESSION QUE POUR IMAGINER QUELQUE CHOSE, IL FAUT... HEU...

...L'ENVISAGER.
ET ALORS ? C'EST PAS PAREIL, QUAND MÊME !

PRESQUE.

HAHAHA ! À PEINE ! MOI, JE ME SOUVIENS QU'AU COLLÈGE, J'AI IMAGINÉ AU MOINS DEUX CENTS FOIS LA MORT - ATROCE - DE MON VIEUX PROF DE MATHS...

...EH BIN, CE CON-LÀ EST TOUJOURS EN VIE. ÇA PROUVE BIEN QUE...
HÉHO.

HEU... OUI, PARDON. CONTINUE, MORGANE...

LE LENDEMAIN, ELLE REPREND SA BALADE, AU HASARD. ELLE, QUI N'A JAMAIS FAIT D'ACTIVITÉ PHYSIQUE, TROUVE DU PLAISIR À MARCHER COMME ÇA, PENDANT DES HEURES.
ET MOI, LA QUESTION QUE JE ME POSE, C'EST :

Combien de temps aurait-elle marché sans nous, si la réalité ne l'avait pas rattrapée ?
La réalité ?

Oui. La vie à la con des gens normaux, comme tout le monde, comme vous.
Merci.

PIZZ

CAFE DES ZAMIS

Elle passe devant un bistrot.
À l'intérieur, quelqu'un se fait engueuler.

Elle s'arrête.

Elle écoute.

LE PORT
Terre
Mais elle repart. Dans un premier temps, elle n'y repense pas vraiment. Elle va s'asseoir sur la jetée.

SI ELLE ATTEND DU SPECTACLE, LA PETITE DAME VA ÊTRE DÉÇUE : C'EST PAS MON JOUR...
NON NON, J'ATTENDS RIEN. ÇA VOUS ENNUIE SI JE SUIS LÀ ?
PAS PLUS QUE ÇA.

VOUS ÊTES PAS D'ICI, VOUS...
NON. JE VIS CHEZ UNE AMIE. MARTHE PILON.
AH. MARTHE.

VOUS LA CONNAISSEZ ?
UN PEU. J'AI JOUÉ AU FOOT AVEC SON MARI...
AH OUI ?
UN BON DÉFENSEUR, UN PEU SOURNOIS.

VOUS AVEZ ÉTÉ MARIÉE LONGTEMPS ?
UNE TRENTAINE D'ANNÉES... ET PUIS IL EST MORT. IL FUMAIT TROP.

IL M'EN A FAIT BAVER, MAIS, AU PIEU, ON RIGOLAIT BIEN...

QU'EST-CE QU'IL Y A ?
HEU... RIEN... POURQUOI ?
HIHIHI ! ELLE EST TOUTE ROUGE !

ET LE VÔTRE ?
QUOI, LE MIEN ?
IL EST COMMENT, AU LIT ?

HEU... MAIS HEU... ÇA VA BIEN... JE...
OH ÇA VA, MA PETITE FILLE. FAITES PAS VOTRE SAINTE NITOUCHE!

JE FAIS PAS MA "SAINTE NITOUCHE"!
POURQUOI VOUS AVEZ ROUGI, ALORS?

HEU... C'EST PARCE QUE J'AI PAS TROP L'HABITUDE DE PARLER DE ÇA...
HIHI HI!

ET AVEC L'AUTRE, LÀ?
QUOI ENCORE? VOUS ÊTES PÉNIBLE, DES FOIS.
AVEC CHARLES, C'ÉTAIT COMMENT?

AVEC CHARLES?

OUI D'ACCORD. VOUS AVEZ RAISON... COMME VOUS DITES, AVEC CHARLES, "AU PIEU, ON RIGOLAIT BIEN".
AH.

VOUS VOILÀ TOUTE ROSE. UN VRAI CAMÉLÉON.
HAHA! ALLEZ, À LA MAISON!

AH OUI, DITES DONC, ON A BEAUCOUP MARCHÉ. IL Y A LONGTEMPS QUE J'ÉTAIS VENUE AUSSI LOIN...

"IL FAUT MARCHER TOUS LES JOURS, MADAME PILON." C'EST CE QUE ME DIT MON IMBÉCILE DE TOUBIB. JE ME DEMANDE SI C'EST PAS CE PETIT CON QUI VOUS A ENVOYÉE À MOI.
HAHA HA!

HEU... MORGANE, NE TE SENS PAS OBLIGÉE DE NOUS RACONTER LES HISTOIRES DE LIT DE TA MÈRE. ÇA DOIT ÊTRE UN PEU ENCOMBRANT POUR TOI, NON?
OUI, UN PEU... MAIS ON DIRA QUE ÇA FAIT PARTIE DE L'ÉDUCATION SEXUELLE QU'ELLE A OUBLIÉ DE ME DONNER QUAND J'ÉTAIS PETITE...

ET LE SOIR, AVANT DE S'ENDORMIR, POUR LA PREMIÈRE FOIS...

ELLE SE DIT QUE LE MOMENT EST PEUT-ÊTRE VENU.
QU'ELLE DEVRAIT PEUT-ÊTRE RENTRER.

MAIS ELLE A L'IMPRESSION QU'IL MANQUE QUELQUE CHOSE À SON PETIT VOYAGE.

ET ELLE NE SAIT PAS ENCORE QUOI.
BIEN DORMI ?

OUI OUI ... HEU, MARTHE ... J'AI UN TRUC À VOUS DEMANDER ...
QUOI DONC ?

EST-CE QUE VOUS POURRIEZ ME PRÊTER QUELQUES EUROS ?
JE VOUS LES RENDRAI, BIEN SÛR.

C'EST POUR QUOI FAIRE ?
AH ? NOTRE ACCORD, C'EST "VOS HISTOIRES CONTRE MON HÉBERGEMENT". LES SOUS N'ONT RIEN À VOIR LÀ-DEDANS.
VOUS AVEZ RAISON. PARDON.

RIEN. PRENDRE UN CAFÉ QUAND JE ME BALADE, C'EST TOUT. OUBLIONS.
C'EST TOUT ? ALORS C'EST D'ACCORD.

JE VOUS LES RENDRAI.
VOUS L'AVEZ DÉJÀ DIT.
VOTRE PRÉCÉDENTE TENTATIVE D'EXTORSION AVAIT ÉTÉ BIEN PLUS DOULOUREUSE POUR MA VIEILLE CARCASSE. VOUS FAITES DES PROGRÈS.
SANS PITIÉ, HEIN ?

CAFE DES ZAMIS

ELLE COMMANDE UN CAFÉ ET UN VERRE D'EAU.

LE BISTROT EST PRESQUE DÉSERT.

IL NE LUI FAUT PAS BIEN LONGTEMPS POUR IDENTIFIER CELLE QU'ELLE ENTENDAIT SE FAIRE ENGUEULER LA VEILLE.

NI POUR COMPRENDRE QUE CETTE SERVEUSE EST LE SOUFFRE-DOULEUR DE LA PATRONNE ET DES HABITUÉS.

ELLE BOIT SON CAFÉ ET FAIT DURER SON VERRE D'EAU LE PLUS LONGTEMPS POSSIBLE.

ELLE NE BOUGE PAS. ELLE NE REGARDE PERSONNE. ELLE SE CONTENTE D'ÉCOUTER.
ON NE LUI ADRESSE PAS LA PAROLE.

AU BOUT DE PRESQUE DEUX HEURES, ELLE QUITTE LES LIEUX.

RENTRER, OUI.
ELLE NOUS A QUITTÉS SANS MÊME Y RÉFLÉCHIR, MAIS RENTRER, LÀ, MAINTENANT, FINALEMENT, C'EST PAS SI SIMPLE.

BIZARRE, HEIN ?
ELLE A BIEN UNE IDÉE QUI LUI VIENT, QUI RESTE FLOUE.

ET ELLE NE SAIT PAS QUOI EN FAIRE.

JE VOUS RECONNAIS, VOUS. "UN CAFÉ, UN VERRE D'EAU", QU'EST CE QU'IL Y A? POURQUOI VOUS ME REGARDEZ COMME ÇA? QU'EST CE QUE VOUS ME VOULEZ?

ELLE A PAS L'AIR FACILE, LA PATRONNE, HEIN?
QU'EST-CE QUE ÇA PEUT VOUS FOUTRE?

ET VOIR DES CLIENTS QUI SQUATTENT DES HEURES POUR UN CAFÉ, C'EST PAS FAIT POUR LA METTRE DE BON POIL. "LES SANGSUES", ELLE APPELLE ÇA.
JE SUIS DÉSOLÉE.

OUI, OH... SI C'ÉTAIT PAS ÇA, CE SERAIT AUTRE CHOSE. POUR ME FAIRE CHIER, ELLE MANQUE JAMAIS D'ARGUMENTS.
VOUS BOSSEZ LÀ DEPUIS LONGTEMPS?

"QUATRE ANS, POURQUOI?" RÉPOND LA SERVEUSE.
"POUR RIEN, POUR RIEN..."

ET VOILÀ. VOUS IMAGINEZ ÇA?

VOTRE AMIE LULU, QUI MARCHE À CÔTÉ DE CETTE FILLE, ET QUI LA FAIT PARLER.

ELLE S'APPELLE VIRGINIE.

ET ELLE, VISIBLEMENT, N'A PAS SOUVENT EU L'OCCASION DE RACONTER SA VIE.

ALORS ELLE SE LÂCHE...
CHACUN SON TOUR, HEIN?

ET LÀ, JE VOIS BIEN, VOUS VOUS DEMANDEZ OÙ LULU VEUT EN VENIR.
20%

D'APRÈS CE QUE J'EN AI COMPRIS, ELLE-MÊME NE LE DÉCOUVRE QUE PROGRESSIVEMENT.

BON, CETTE VIRGINIE N'A PAS INVENTÉ L'EAU CHAUDE.

PARCE QUE, MOI, À SA PLACE, JE ME MÉFIERAIS D'UNE BONNE FEMME QUI M'ABORDERAIT, COMME ÇA, DANS LA RUE.

C'EST CE QUE M'A APPRIS MA MAMAN.

J'EXAGÈRE. ELLE SE POSE QUAND MÊME DES QUESTIONS.
VOUS ÊTES LESBIENNE?
HEIN?

UNE GOUINE, QUOI...
MOI? MAIS NON! PAS DU TOUT!
AH BON. MOI NON PLUS, HEIN. MAIS JE CROYAIS QUE VOUS ME DRAGUIEZ.

PAS DU TOUT! J'AVAIS... HEU... J'AVAIS JUSTE ENVIE DE DISCUTER!
DE TOUTE FAÇON, J'HABITE LÀ... JE SUIS CREVÉE...

SI JE PASSE PRENDRE UN CAFÉ DEMAIN, JE VOUS PROMETS DE NE PAS ÊTRE TROP LONGUE.
HAHA! D'ACCORD.

À DEMAIN, ALORS!
À DEMAIN...

ET PENDANT QUE MADAME FAIT SA MYSTÉRIEUSE, ICI, LA PRESSION MONTE TRANQUILLEMENT.
JE VERSE.
VAS-Y, J'ALLUME.

BIN ALORS?

P'TAIN!
TROP BIEN!

HAHA HA!
ÇA Y EST?

C'EST PLUS RIGOLO QUE LES HARICOTS VERTS! ON RECOMMENCE?
OUAIS! ON MANGE CEUX-LÀ D'ABORD!

OUAIS! EN PLUS, PAS BESOIN D'ASSIETTES!
PRATIQUE, HEIN? T'FAÇON, Y EN A PLUS DE PROPRES!

HÉ, MORGANE! VIENS VOIR! ÇA FUME!
JE BOSSE!

ÇA FUME VACHEMENT, HEIN!
DEMANDEZ À PAPA!
HÉ P'PA! T'AS VU COMME ÇA FUME?

MORGANE! TES FRANGINS SONT EN TRAIN DE FOUTRE LE FEU À LA MAISON!

VOUS FAITES CHIER !

FALLAIT PAS LAISSER LA CASSEROLE VIDE SUR LE FEU ! QU'EST-CE QUE VOUS AVEZ MIS DEDANS ? DU BEURRE ?

OUAIS !
AVEC DE L'HUILE, POUR QUE ÇA ACCROCHE PAS...
RATÉ !

TU LEUR FAIS À DÎNER, MOI, J'AI DU BOULOT !
ILS SE DÉBROUILLENT TRÈS BIEN TOUT SEULS, MES PETITS BOLIDES...

"L'AUTONOMIE", ÇA S'APPELLE. C'EST IMPORTANT, HEIN, LES GARS ?
OUAIS P'PA ! TU VEUX DU POP-CORN ?

DÉBROUILLEZ-VOUS ! MOI, DEMAIN, J'AI UN DEVOIR D'ANGLAIS !
"POP-CORN", C'EST ANGLAIS, ÇA, NON ?
TRÈS BIEN, LES GARS, YOU EAT POP-CORN !

YOU LOVE POP-CORN ? NO. I LOVE NOT...
...I NOT LOVE...
HO, MORGANE, COMMENT ON DIT ?

I LOVE WHISKY ... VOILÀ.

MA PAUVRE M...
LÂCHE-MOI !

MORGANE ?
PARDON ! JE VOULAIS JUSTE...
J'Y VAIS.

MORGANE... NOUS SOMMES TOUS UN PEU CHAMBOULÉS PAR TOUT ÇA. C'EST NORMAL. ET TU DOIS ÊTRE FATIGUÉE...
JE SUIS PAS FATIGUÉE !

SI, BIEN SÛR, JE SUIS FATIGUÉE. IL EST QUELLE HEURE ?
JE SAIS PAS. TARD.
JE SUIS FATIGUÉE. JE SUIS EN COLÈRE. JE SUIS IMPATIENTE. JE SUIS INQUIÈTE.

QU'EST-CE QUI VA SE PASSER, MAINTENANT ?
JE NE SAIS PAS. MÊME SI CETTE HISTOIRE A MAL FINI, ELLE N'AURA SANS DOUTE PAS ÉTÉ VAINE.

ÇA, ON VERRA, HEIN ?
OUI, ON VERRA. ÇA DÉPEND UN PEU DE NOUS AUSSI. ON SERA TOUS LÀ.
ON RETOURNE AVEC LES AUTRES ?

TU CROIS QUE MES PETITS FRÈRES DEVRONT VENIR À L'ENTERREMENT ?

JE SAIS PAS... TU VEUX FAIRE UNE PAUSE ?
NON NON... ON EN ÉTAIT OÙ ?

LULU VIENT DE QUITTER VIRGINIE-QUI-N'A-PAS-INVENTÉ-L'EAU-CHAUDE.
AH OUI !!!

LE SOIR MÊME, ELLE FAIT SA BALADE AVEC MARTHE.

JE VAIS RENTRER CHEZ MOI, MARTHE. IL EST TEMPS.

VOUS M'AVEZ ENTENDUE ?
JE SUIS VIEILLE. JE SUIS CARDIAQUE. MAIS JE SUIS PAS SOURDE.

QUAND ?
JE SAIS PAS. BIENTÔT. JUSTEMENT, JE VOULAIS VOUS PARLER D'UNE...
AHRRR ...

QUOI ? QU'EST-CE QU'IL YA ?
AAH CE SABLE ! C'EST TROP MOU ! JE FATIGUE À MARCHER DANS CETTE SALOPERIE ! ÇA RÉVEILLE MA HANCHE !

C'EST VOUS QUI VOULIEZ MARCHER PRÈS DES VAGUES, CE SOIR.
EH BIN, C'ÉTAIT UNE MAUVAISE IDÉE ! C'EST PLUS DE MON ÂGE !

ALLEZ HOP !
RETOUR SUR LE BITUME !
ET AU LIT !
HÉ ? JE VOUS AI JAMAIS VUE TROTTER COMME ÇA. VOUS VENEZ DE DIRE QUE VOUS NE...
QU'EST-CE QUE VOUS CROYEZ, MA PETITE FILLE ?

JE PEUX ENCORE MARCHER TOUTE SEULE !

JE PEUX AVOIR UN CAFÉ, S'IL VOUS PLAIT ?

HÉ, ATTENTION !
QUOI?
UNE SANGSUE !

HiHiHi HiHi !

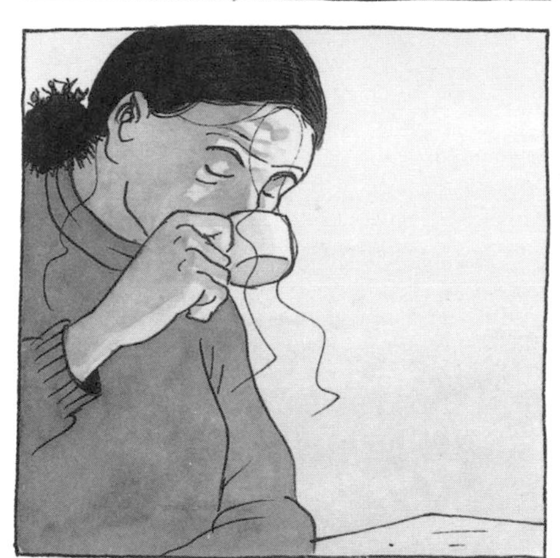

ET QUAND VIRGINIE TERMINE SON SERVICE...

...ELLE N'EST PAS VRAIMENT SURPRISE DE VOIR SA NOUVELLE AMIE QUI L'ATTEND DEHORS.
ÇA VA? J'AI PAS ÉTÉ TROP LONGUE CETTE FOIS ?

COMMENT MAMAN LUI PRÉSENTE-T-ELLE LES CHOSES ? JE NE SAIS PAS EXACTEMENT.
ATLANTA

MAIS LA PETITE DISCUSSION QU'ELLES ONT EUE LA VEILLE LUI A SUFFI POUR COMPRENDRE UN TRUC TRÈS SIMPLE :

VIRGINIE EST EN TRAIN DE SE NOYER DANS L'ENNUI. CE MÊME ENNUI AUQUEL VOTRE AMIE LULU VIENT D'ÉCHAPPER.

ALORS VOILÀ. ENCORE UNE FOIS, ELLE RACONTE. ELLE PARLE DE CHARLES, DE MARTHE, ET AUSSI DE NOUS. LA SERVEUSE, ÉPATÉE, L'ÉCOUTE.
JE PEUX VOUS POSER UNE QUESTION ?

ET VOS ENFANTS ? VOUS N'Y AVEZ PAS PENSÉ PENDANT VOTRE VOYAGE ?

HEU... EH BIEN ÇA M'ÉTONNE UN PEU, MAIS, POUR ÊTRE FRANCHE, NON, JE N'Y AI PAS BEAUCOUP PENSÉ...

MAIS, EN MÊME TEMPS, À CHAQUE MOMENT... JE SAIS PAS COMMENT DIRE...
ILS ÉTAIENT LÀ, JAMAIS LOIN...
... EN MOI.

ÇA DOIT VOUS SEMBLER BIZARRE !
ET SANS EUX, VOUS RENTRERIEZ, LÀ, MAINTENANT ?

HEU... DRÔLE DE QUESTION... JE... JE SAIS PAS... JE...
VOILÀ-MOI, DES GAMINS, J'EN VEUX PAS. JE TIENS À MA LIBERTÉ...

VOTRE LIBERTÉ ? ÇA VOUS PLAÎT, DE BOSSER DANS CE BISTROT ?
BIEN SÛR QUE NON.
TIREZ-VOUS, ALORS.

QUOI ?

C'EST ÇA, SON IDÉE :
AVANT DE RENTRER, FAIRE POUR QUELQU'UN CE QUE CETTE REPRÉSENTANTE A FAIT POUR ELLE PRESQUE TROIS SEMAINES PLUS TÔT.

COMMENT ÇA ?
TU NE COMPRENDS PAS ?

ELLE NE VEUT PAS TERMINER SA BALADE COMME ÇA. ELLE VEUT PASSER LE RELAIS.

ELLE SENT QUE CETTE FILLE EST LA BONNE PERSONNE POUR LE FAIRE. ELLE LUI DIT : "C'EST VOTRE TOUR. FOUTEZ UN COUP DE PIED DANS LA PORTE !"

BIEN SÛR, AU DÉBUT, L'AUTRE SE MÉFIE UN PEU. METTEZ-VOUS À SA PLACE.
MAIS IL FAUT CROIRE QUE MAMAN AVAIT VU JUSTE : ELLE VIT SEULE, SANS AMI, ET BIEN PEU DE CHOSES L'ATTACHENT À CETTE VILLE.
L'HISTOIRE QU'ELLE VIENT D'ENTENDRE TRAVAILLE DÉJÀ EN ELLE.

MAMAN LUI DIT QU'ELLE VA RENTRER À LA MAISON DÈS LE LENDEMAIN, ET ELLE LUI PROPOSE DE VENIR AVEC ELLE.
ICI ?

OUI. PAS FORCÉMENT POUR S'INSTALLER. MAIS POUR FAIRE UNE PAUSE. SOUFFLER UN PEU. COMME ELLE-MÊME LE FAIT CHEZ MARTHE. PUIS REPARTIR VERS AUTRE CHOSE. BREF, UN VRAI RELAIS.
EH BÉ !...

ELLE EST NAÏVE, VIRGINIE, ELLE A LES YEUX QUI BRILLENT.

ELLE N'AURAIT SANS DOUTE JAMAIS IMAGINÉ ÇA ELLE-MÊME MAIS, LÀ, JUSTEMENT, TOUT À COUP...

... C'EST COMME UNE CHANCE QUI PASSE.

À CE MOMENT-LÀ, POUR LA PREMIÈRE FOIS, MAMAN EST PRÊTE À RENTRER.
FONTAINE
30

COMME ELLE N'A PAS RÉUSSI À PARLER DE SON IDÉE À MARTHE LA VEILLE, ELLE DÉCIDE DE LUI PRÉSENTER VIRGINIE.

ELLE S'EN INQUIÈTE UN PEU.

MAIS MARTHE TROUVE L'IDÉE EXCELLENTE !

ET ELLE LES INVITE MÊME AU RESTAU POUR FÊTER ÇA.

UN PEU SURPRISE, MAMAN LUI AVOUE QU'ELLE CRAIGNAIT DE LUI FAIRE DE LA PEINE EN LUI ANNONÇANT SON DÉPART.

C'EST EN RENTRANT SAGEMENT À LA NICHE QUE VOUS M'AURIEZ FAIT DE LA PEINE, MA PETITE FILLE...

LEUR NOUVELLE COPINE SE DEMANDE DE QUOI SERA FAITE SA NOUVELLE VIE. ALORS L'ESSENTIEL DU REPAS EST CONSACRÉ À SES PROJETS. ELLE N'A RIEN DE PRÉCIS EN TÊTE. C'EST UN PEU EFFRAYANT... ET TRÈS EXCITANT. C'EST UNE SORTE D'AVENTURE.

HI HI HI HI !
HA HA HA !

BON... ON VA BOIRE UN COUP QUELQUE PART ?
ET SI ON ALLAIT AU BAR OÙ TU TRAVAILLES, FILLETTE ?
HEIN ?

MOI, CLIENTE LÀ-BAS ? J'AI JAMAIS FAIT ÇA.
RAISON DE PLUS.

IL EST TARD, MARTHE. ET C'EST LOIN, À PIED ...
ÇA FERA COULER LE STEAK TARTARE. ET ÇA FERA PLAISIR À MON ABRUTI DE TOUBIB. EN ROUTE !

C'EST UNE IDÉE BIZARRE, QUAND MÊME...
EN ROUTE, J'AI DIT !

BONSOIR.
TROIS BIÈRES !
BONSOIR.
QU'EST CE QUE TU FOUS LÀ, TOI ?
JE VIENS BOIRE UN COUP, TIENS !

ÇA MARCHE, LES AFFAIRES ?
JE SAIS PAS À QUOI TU JOUES, MAIS...
COMBIEN JE VOUS DOIS ?

J'AIME PAS LA BIÈRE.
MOI NON PLUS.

ELLES PASSENT UNE TRÈS BONNE SOIRÉE, À RIGOLER COMME DES GAMINES.

ON FERME !
DÉJÀ ?
VOUS VOULEZ ALLER EN BOÎTE ?
HO HO HO !

ON SE RETROUVE DEMAIN CHEZ MARTHE. ON REGARDERA LES HORAIRES DE TRAIN...
D'ACCORD. BONNE NUIT.
TU RESTES LÀ ?

OUI. J'ATTENDS LA FERMETURE POUR LUI ANNONCER MON DÉPART. ÇA VA CHIER.
TU VEUX QU'ON RESTE UN PEU ?

JE VOUS REMERCIE. MAIS ÇA, JE DOIS LE FAIRE SEULE.
ELLE A RAISON.
À DEMAIN, ALORS...

PAS TROP FATIGUÉE?
PAS DU TOUT! POURQUOI JE SERAIS FATIGUÉE?

C'EST TRÈS BIEN, CE QUE VOUS FAITES POUR CETTE GAMINE.
OUI?

J'ESPÈRE QUE ÇA VA BIEN SE PASSER...
MAIS OUI, VOUS VERREZ.

VOUS REVIENDREZ ME VOIR DE TEMPS EN TEMPS ?
ÇA DÉPENDRA DE CE QUE VOUS ME FEREZ À MANGER.
HIHI HI!

JE VOUS DOIS BEAUCOUP, MARTHE.
DITES PAS DE CONNERIES.
PAS FÂCHÉE D'ARRIVER. J'AI LA HANCHE EN COMPOTE.

BONNE NUIT, VIEILLE FÊTARDE.
BONNE NUIT, SALE LÂCHEUSE.

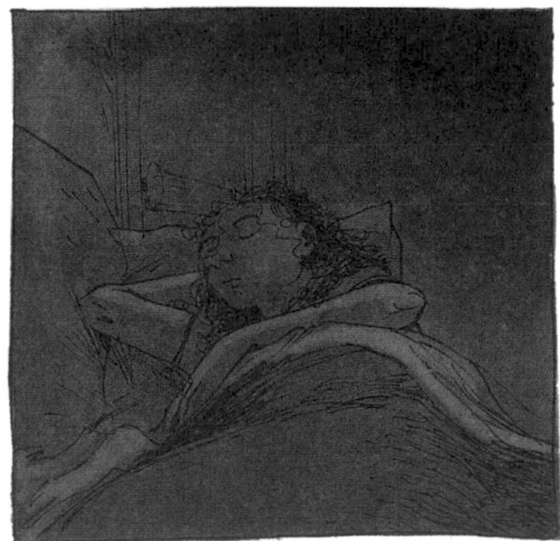

MARTHE? VOUS ENTENDEZ?
QUELQU'UN FRAPPE À LA PORTE...
JE DESCENDS.

HEU... QUI EST LÀ?

VIRGINIE? QU'EST-CE QUI SE PASSE?
SALOPE! ELLE M'A ENGUEULÉE!

ELLE M'A DIT QU'ELLE M'AVAIT DONNÉ DU TRAVAIL! QU'ELLE AVAIT BESOIN DE MOI!
QUE JE LA TRAHISSAIS!

MAIS ENFIN, TU...
VOUS M'AVEZ FAIT FAIRE N'IMPORTE QUOI! PUTAIN! QUELLE CONNE! J'AI FAILLI VOUS CROIRE!
ELLE T'A FRAPPÉE?!

BIEN SÛR QU'ELLE M'A FRAPPÉE! ELLE A BIEN FAIT, ÇA M'A OUVERT LES YEUX!
C'EST PAS POSSIBLE, VOTRE TRUC, PARTIR, COMME ÇA!

JE SAIS PAS POURQUOI JE VOUS AI CRUE! JE DEVRAIS VOUS CASSER LA GUEULE AUSSI!
VIRGINIE...

NON! J'ÉCOUTE PLUS VOS CONNERIES! VOUS M'AVEZ ASSEZ MISE DANS LA MERDE!
QUOI?

SALOPE!

SALOPE!

SALOOOPE!

MAMAN, PERSONNE NE L'A FRAPPÉE.
MAIS CE MOT-LÀ RÉSONNE DANS SA TÊTE JUSQU'AU MATIN, COMME UNE GIFLE.
MON PORTABLE SONNE.

MON PÈRE RONFLE ENCORE. LES PETITS SE LÈVENT. MOI, JE M'APPRÊTE À PRENDRE LE BUS POUR LE LYCÉE.
JE DEVINE IMMÉDIATEMENT QUE C'EST ELLE.
C'ÉTAIT CE MATIN, ÇA ?

HEU... AH OUI... CE MATIN... ÇA ME PARAÎT DÉJÀ SI LOIN...
LA JOURNÉE A ÉTÉ LONGUE, HEIN...
C'EST VRAI.

ELLE ME DEMANDE DE LA REJOINDRE.

ELLE VEUT ME PRÉSENTER QUELQU'UN.

JE FONCE À LA GARE.

ET J'ATTENDS LE PREMIER TRAIN.

PUTAIN.
QUARANTE MINUTES INTERMINABLES.

PENDANT LE TRAJET, JE LIS LES MESSAGES DE MES COPINES QUI S'INQUIÈTENT DE NE PAS ME VOIR AU LYCÉE.

MAIS JE RÉPONDS PAS.
ÇA LES REGARDE PAS.

ELLE M'AVAIT JAMAIS SERRÉE COMME ÇA.
C'EST PAS TROP LE GENRE DE LA FAMILLE, VOUS SAVEZ BIEN.

AU DÉBUT, ON PARLE MÊME PAS. C'EST BIZARRE.
ALORS MON CERVEAU SE MET À ENREGISTRER DES TRUCS IDIOTS:

SUR CE QUAI, ON EST LES SEULES PERSONNES SANS BAGAGES.
ELLE PORTE UN VILAIN PULL TROP PETIT.
JE REMARQUE AUSSI QUE JE SUIS MAINTENANT PLUS GRANDE QU'ELLE.

ON S'ASSOIT AU SOLEIL.

ET LÀ, TRANQUILLEMENT, ELLE ME RACONTE TOUT ÇA.

ALLONS BON ! ENCORE UNE VIRGINIE ?
C'EST PEUT-ÊTRE PAS UNE SI BONNE IDÉE, VOUS SAVEZ...

AH NON, NON... MORGANE EST MA FILLE !

JE VOULAIS VOUS LA PRÉSENTER AVANT DE PARTIR...
ELLE EST CE QUI M'EST ARRIVÉ DE MIEUX.

"CE QUI M'EST ARRIVÉ DE MIEUX", JE M'ATTENDAIS PAS À ÇA.
ALORS ÇA VA. BONJOUR, MORGANE.

MAMAN PRÉPARE SES AFFAIRES DANS LA PIÈCE À CÔTÉ. LA VIEILLE M'OBSERVE EN SOURIANT.

MOI, FRANCHEMENT, JE TROUVE QU'ELLE SENT PAS TRÈS BON.

MARTHE...

JE NE SAIS PAS COMMENT VOUS REMERCIER... J'AIMERAIS...
LULU, ÉCOUTEZ...

OUI ?
UNE AUTRE VIRGINIE, JE VOUS EN AI TROUVÉ UNE...

QUOI ?

MOI, JE VIENDRAIS BIEN AVEC VOUS !!!

JE NE CONDUIS PLUS DEPUIS CINQ ANS. MAIS JE VIENS LA FAIRE TOURNER DE TEMPS EN TEMPS.

PUTAIN... J'AI SEIZE ANS ET JE RAMÈNE MA MÈRE AU BERCAIL... DRÔLE DE TRUC, NON ?
JE L'OBSERVE.
C'EST BIEN ELLE, ET CE N'EST PLUS LA MÊME. JE GUETTE CE QUI A CHANGÉ...

... ET JE CHERCHE CE QUI M'EST ARRIVÉ DE MIEUX, À MOI.

ÇA VA, MORGANE ?
OUI. OUI...
À QUOI TU PENSES ?

JE ME DISAIS QUE J'AURAI BESOIN D'UN MOT D'ABSENCE, POUR LE LYCÉE, DEMAIN MATIN ...
BIEN SÛR. JE TE FERAI ÇA.

TU AS DE LA CHANCE ...
MOI ? POURQUOI ?

TOI, T'EN AS PAS BESOIN.

JE COMPRENDRAIS QUE TU M'EN VEUILLES...
MMH... JE SAIS QUE TU AVAIS DES RAISONS DE FAIRE CE QUE TU AS FAIT...
AH ?

... MAIS JE SAIS PAS ENCORE SI JE T'EN VEUX OU PAS ...
HIHI ! ELLE ME PLAIT, CETTE PETITE !

VOUS, JE SAIS PAS ENCORE SI J'AI ENVIE DE VOUS PLAIRE OU PAS.
HIHIHI !

UNE CHOSE EST SÛRE :
ELLE AURA BIEN RI LORS DE SA DERNIÈRE JOURNÉE.

MAMAN NE S'EN REND PAS COMPTE, MAIS, EN APPROCHANT DE LA MAISON, ELLE ROULE DE MOINS EN MOINS VITE.

ON Y EST, MARTHE.
PAS TROP TÔT !

HEU... JE SUPPOSE QUE TES FRÈRES SONT À L'ÉCOLE ...
BIEN SÛR.
ET TANGUY ? IL N'EST PAS LÀ ?
APPAREMMENT PAS.
C'EST LA PREMIÈRE FOIS QU'ELLE CITE SON NOM.

BIENVENUE CHEZ NOUS, MARTHE ...

ELLE LUI FAIT VISITER LA MAISON.

C'EST UN MOMENT ÉTRANGE.
UNE SORTE DE PAUSE.

MOI, JE ME DEMANDE OÙ ON VA HÉBERGER MARTHE.
DU SUCRE DANS VOTRE CAFÉ, MARTHE ?
NON, MERCI, FILLETTE.

JE ME DEMANDE AUSSI COMBIEN DE TEMPS ELLE VA RESTER.

JE ME DEMANDE SURTOUT CE QUE MON PÈRE VA DIRE EN RENTRANT.

MAMAN N'A PAS L'AIR DE SE POSER CES QUESTIONS QUI L'AURAIENT FAIT PANIQUER AUPARAVANT.
ET J'AVOUE QUE ÇA ME PLAÎT ASSEZ.

ELLES N'ENTENDENT PAS LE BRUIT DU MOTEUR.

T'ES DÉJÀ RENTRÉE DU LYCÉE, TOI ?
QU'EST-CE QUE TU AS SUR LA JOUE ?
JE REFERME LA PORTE D'ENTRÉE.
T'ÉTAIS OÙ ?

MOI AUSSI, JE SUIS ALLÉ FAIRE UN TOUR AU BORD DE LA MER. CHACUN SON TOUR.

IL SENT L'ALCOOL.
MES FRANGINS ONT FINI PAR CÉDER. ILS LUI ONT DONNÉ LE NOM DE LA GARE OÙ NOUS ÉTIONS DESCENDUS.
ET ILS LUI ONT PARLÉ DU CAMPING.

IL A FONCÉ LÀ-BAS DÈS LE MATIN.

MOI, JE ME DEMANDE CE QUE FAIT MAMAN, À L'INTÉRIEUR.
ET J'AI UN PEU DE MAL À ME CONCENTRER SUR CE QU'IL ME RACONTE.

IL M'EXPLIQUE QU'IL A RAPIDEMENT TROUVÉ LE CAMPING...

... OÙ, JE LE CITE, "DEUX ESPÈCES DE BARBUS, UN PETIT CHAUVE ET UN GRAND CON À CASQUETTE" LUI SONT TOMBÉS DESSUS...
AH...
"CHACUN SON TOUR", EFFECTIVEMENT ...

ALORS ?
IL LES A TROUVÉS SYMPATHIQUES ?

HiHi... LA TRACE SUR SA JOUE, C'EST PAS CELLE D'UN BISOU, HEIN...

UNE FOIS CALMÉ, IL S'EST MIS À RÉCLAMER SA FEMME ...MAIS IL A BIEN ÉTÉ OBLIGÉ DE CONSTATER QU'ELLE N'ÉTAIT PLUS LÀ DEPUIS LONGTEMPS...

À CE MOMENT-LÀ, CHARLES A COMPRIS QUE, CONTRAIREMENT À CE QU'ELLE LUI AVAIT DIT, LULU AVAIT UNE FAMILLE.

IL A APPRIS AUSSI QUE NOUS ÉTIONS VENUS TOUT PRÈS, ET MÊME QUE SES CHERS FRANGINS NOUS AVAIENT ACCUEILLIS EN CACHETTE. IL PREND TOUT ÇA ASSEZ MAL...
TU M'ÉTONNES! LE PAUVRE!
ET ENSUITE?

ENSUITE, MON PÈRE A UNE IDÉE BIZARRE...

IL M'EXPLIQUE QU'ILS SE SONT MIS À DISCUTER TOUS LES DEUX.
AVOIR ÉTÉ LOURDÉS PAR MAMAN LEUR FAIT UN POINT COMMUN, JE SUPPOSE...
PAPA A VOULU TOUT SAVOIR DE CE QUI S'ÉTAIT PASSÉ ENTRE ELLE ET CHARLES.
ET, VISIBLEMENT, ILS ONT DISCUTÉ LONGTEMPS...

ET LÀ, EMPORTÉ PAR SON RÉCIT, IL ENTREPREND DE ME RACONTER TOUT ÇA, SANS RIEN CACHER, À MOI, SA FILLE.
ET COMME JE N'AI PAS VRAIMENT ENVIE D'ENTENDRE PARLER DES PRATIQUES SEXUELLES DE MA MÈRE, JE LUI DIS :

ELLE EST RENTRÉE.

10

ÇA A DURÉ CINQ SECONDES...
JE NE L'AI PAS VU LA FRAPPER. MAIS TOUS LES BRUITS SONT GRAVÉS DANS MA TÊTE.

EN ENTRANT, IL A GUEULÉ QUELQUE CHOSE. IL A CITÉ CHARLES, JE CROIS. MAIS J'AI PAS COMPRIS.
J'AI ENTENDU MAMAN TOMBER CONTRE LE MEUBLE.

ELLE A, PAS CRIÉ.
LUI, IL EST RESSORTI EN BOITANT, IL A SAUTÉ DANS SA BAGNOLE.
LES PNEUS ONT HURLÉ.
ET IL A DISPARU...

CE MEC-LÀ, C'EST MON PÈRE...

...ET JE SAIS MÊME PAS S'IL L'AVAIT DÉJÀ FRAPPÉE...
JE M'ÉTAIS JAMAIS POSÉ LA QUESTION ...

NON, MORGANE. FRANCHEMENT. ON LE CONNAIT DEPUIS LONGTEMPS. C'EST PAS SON GENRE.
C'EST VRAI. JE SAIS BIEN QUE C'EST DIFFICILE À ENVISAGER CES DERNIERS JOURS, MAIS...
LULU ET LUI ONT LONGTEMPS ÉTÉ TRÈS PROCHES, TRÈS AMOUREUX, TU SAIS...

OUAIS. PEUT-ÊTRE.
N'EMPÊCHE.
IL VA FALLOIR VIVRE AVEC ÇA, MAINTENANT.

ET HEU... MARTHE ?

MOI, JE HURLAIS COMME UNE CONNE. J'AI PAS FAIT ATTENTION À ELLE...

ELLE A RIEN DIT. ELLE S'EST ASSISE EN TREMBLANT ET...
VOUS ENTENDEZ ?

UNE VOITURE ...

C'EST ELLE ?
JE SAIS PAS...

ALORS ?

EN TOUT CAS, C'EST BIEN SA BAGNOLE POURRIE...

ET... TU VOIS COMBIEN DE PERSONNES, DANS LA "BAGNOLE POURRIE" ?
POUR L'INSTANT, JE VOIS RIEN...

J'AI L'IMPRESSION QU'ILS SONT DEUX, NON ?
BON ...

VOUS ÊTES TOUS LÀ ...
JE SUIS BIEN CONTENTE DE VOUS VOIR.

SORS DE LA VOITURE.

HEU... JE... TU SAIS OÙ SONT MES BÉQUILLES ?
JE LES AI POSÉES DANS LA CUISINE.

JE SUIS LE MÉCHANT DE L'HISTOIRE, HEIN ?

JE PARIE QUE VOUS NE VOUS ÊTES PAS DEMANDÉ UNE SEULE SECONDE CE QUE JE RESSENTAIS, MOI, DEPUIS QU'ELLE EST PARTIE...

HEU... COMMENT ÇA S'EST PASSÉ ?
ON A BEAUCOUP PARLÉ, LUI ET MOI...

COMMENT TU VAS, MA GRANDE ?
BIEN. TRÈS BIEN.
ET LUI ?

MOINS BIEN.
BAH OUI.

MOI AUSSI, JE SUIS CONTENTE DE TE REVOIR !
J'EN REVIENS PAS. VOUS AVEZ PASSÉ TOUTE LA NUIT ICI ?

EH OUI ! ON T'ATTENDAIT !
TU ME REGARDES COMME SI J'ÉTAIS UNE REVENANTE ...

MAIS C'EST CE QUE TU ES, LULU !
HAHA HA !

ON EST TOUS SOULAGÉS, LÀ. MAIS IL VA FALLOIR NOUS EXPLIQUER LA SUITE....
LAISSE-M'EN UN PEU, TOI !

IL A RAISON. PARCE QUE, LÀ, NOUS, ON PIGE PAS TOUT...
BIEN SÛR...

TU DOIS ÊTRE CREVÉE.
ÇA VA.
MORGANE NOUS A RACONTÉ VOTRE RETOUR...

TU EN ÉTAIS OÙ ?
À MARTHE.
ET TES FRÈRES ?
ÇA VA. ILS DORMENT.

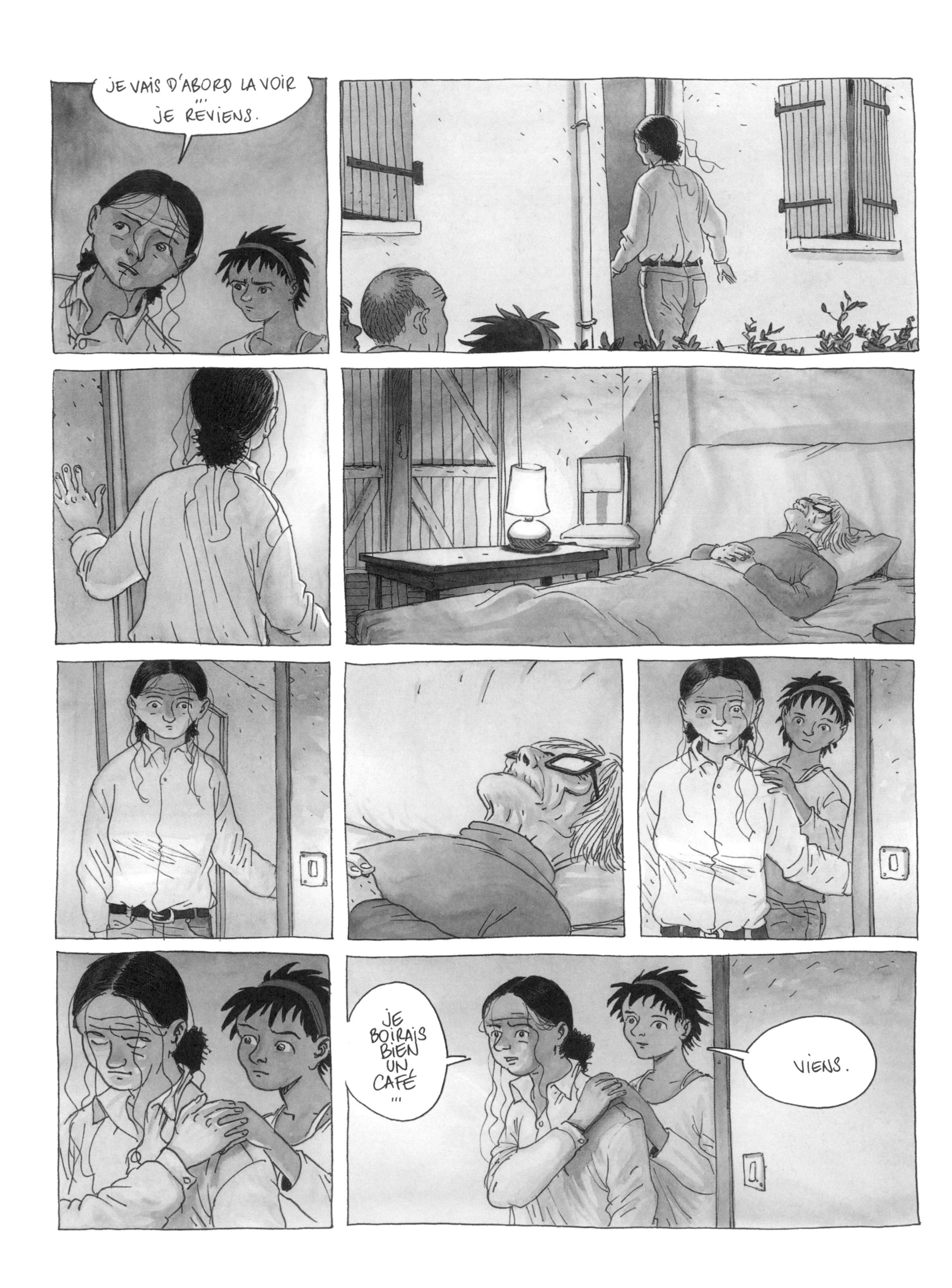
JE VAIS D'ABORD LA VOIR ... JE REVIENS.
JE BOIRAIS BIEN UN CAFÉ ...
VIENS.

QUAND TANGUY M'A FRAPPÉE, J'AI PRESQUE RÉUSSI À ME PROTÉGER DU COUP...
MAIS JE ME SUIS ASSOMMÉE CONTRE LE BUFFET !

MERCI.

MORGANE A VOULU APPELER LES POMPIERS... MAIS JE NE SUIS RESTÉE INCONSCIENTE QUE QUELQUES INSTANTS.

ON N'A PAS...

TU VEUX UN CAFÉ, TANGUY ?
TU PEUX T'ASSEOIR AVEC NOUS, SI TU VEUX...

BIEN SÛR QUE JE PEUX. JE SUIS CHEZ MOI... MAIS NON... JE VAIS ESSAYER DE DORMIR UN PEU...

...JE TE LAISSE RACONTER.

CONTINUE, MAMAN.
BON...

ON N'A PAS FAIT GAFFE À MARTHE...
ELLE S'ÉTAIT LAISSÉ TOMBER SUR UNE CHAISE.
ELLE ÉTAIT TOUTE BLANCHE, ET EN SUEUR.

ON COMPREND QU'ELLE FAIT UN MALAISE GRAVE, ALORS, FINALEMENT, ON APPELLE BIEN LES POMPIERS.

REANIMATION
QUAND ILS ARRIVENT, ELLE VIT ENCORE.

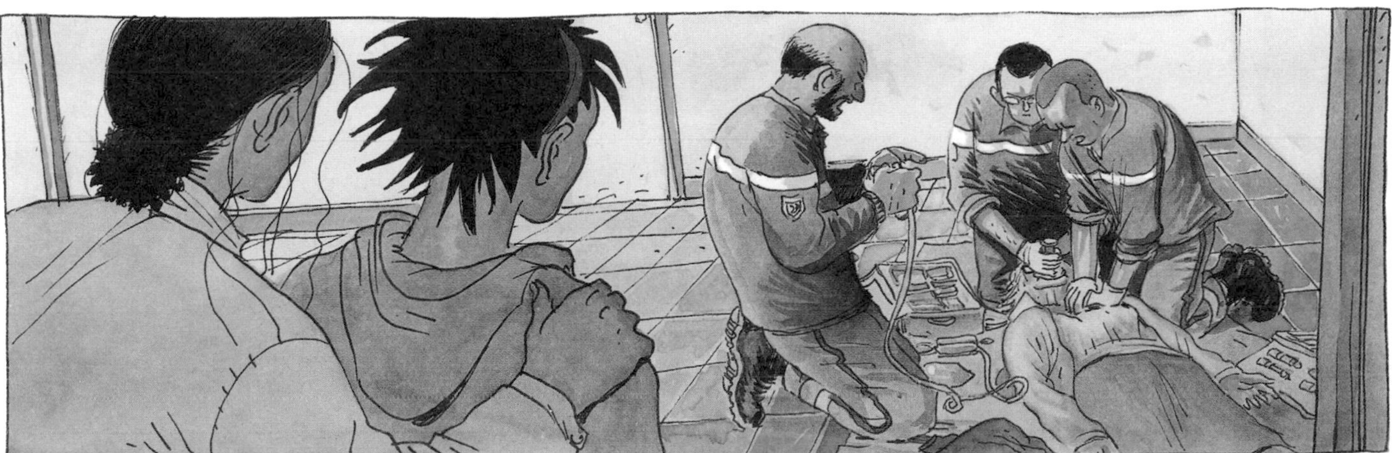

ILS LUTTENT PLUS D'UNE DEMI-HEURE. MAIS ILS NE PEUVENT PAS LA SAUVER.

LE COEUR ?
BAH OUI, LE COEUR... ET L'ÂGE, ET LE CHOC.

JE SAIS PAS COMMENT VOUS DIRE ÇA, MAIS...

J'AI L'IMPRESSION QU'EN VENANT MOURIR ICI, ELLE ME DIT QUELQUE CHOSE...

...MAIS JE SAIS PAS QUOI.

ET HEU... TU PENSES QU'ELLE A VU QUE TU ALLAIS BIEN, AVANT DE MOURIR?
J'ESPÈRE. JE CROIS QUE OUI.
MAIS OUI. MOI J'EN SUIS SÛRE!

TU AS ASSISTÉ À TOUT ÇA, MORGANE?

BAH OUAIS. T'AURAIS FAIT QUOI, TOI? TU SERAIS PARTI?

ET APRÈS?
LES POMPIERS RHABILLENT MARTHE. JE DÉPLIE LE CANAPÉ. ON L'INSTALLE ET ILS APPELLENT UN MÉDECIN...

J'ALLUME UNE PETITE LAMPE. JE RABATS LES VOLETS.

LE MÉDECIN ARRIVE RAPIDEMENT. IL CONSTATE LE DÉCÈS. ON REMPLIT DES PAPERASSES. IL ME DEMANDE SI ELLE ÉTAIT UNE AMIE, OU UN MEMBRE DE MA FAMILLE.
UNE AMIE. DEPUIS TOUJOURS.

DÈS QU'ILS SONT PARTIS, JE TENTE D'APPELER TANGUY. MAIS SON PORTABLE EST ÉTEINT. ÇA FAIT PLUSIEURS HEURES QU'IL A PRIS LA ROUTE.

J'APPELLE DIX FOIS, QUINZE FOIS.

ET IL DÉCROCHE ENFIN.
TANGUY? C'EST MOI.

IL FUIT PARCE QU'IL EST PERSUADÉ DE M'AVOIR TUÉE.

ALORS, LE FAIT D'ENTENDRE MA VOIX, C'EST UN CHOC TERRIBLE.

J'AI BEAU LUI RÉPÉTER QUE C'EST BIEN MOI, QUE JE VAIS BIEN, IL N'ARRIVE PAS À SE CALMER.

JE L'ENTENDS SANGLOTER ET RENIFLER DANS SA VOITURE COMME UN BÉBÉ. IL ESSAIE DE ME PARLER, MAIS IL EN EST INCAPABLE.
DANS UN PREMIER TEMPS, JE SAIS VRAIMENT PAS QUOI FAIRE...

PUIS JE LUI PROPOSE LA SEULE SOLUTION QUI ME SEMBLE POSSIBLE...

TANGUY, ÉCOUTE-MOI... ESSAIE DE TE CALMER. ROULE JUSQU'À LA PROCHAINE AIRE DE REPOS. PRENDS UN CAFÉ. ATTENDS-MOI. JE VIENS TE CHERCHER.

IL M'OBÉIT.
JE RACCROCHE.

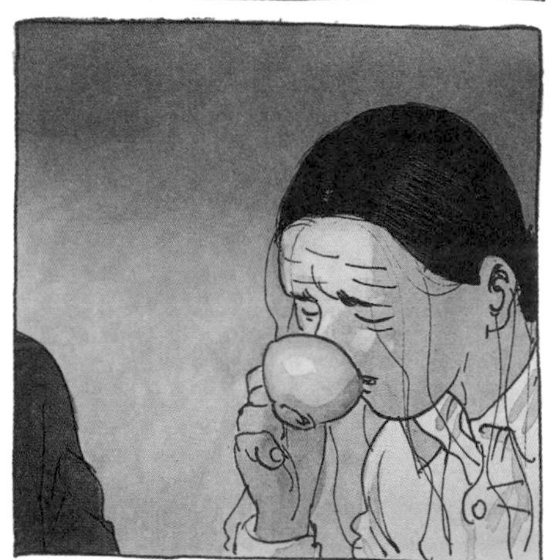

C'EST MOI QUI QUITTE LA MAISON, ET C'EST LUI QU'IL FAUT RAMENER. BIZARRE, NON ?

AVANT DE PARTIR, J'APPELLE CÉCILE ET JE LUI DEMANDE DE RÉCUPÉRER LES PETITS À LA SORTIE DE L'ÉCOLE...
... ET, POUR NE PAS LAISSER MORGANE SEULE ICI, JE DEMANDE À XAVIER DE VENIR.

PUIS JE PARS...
... AVEC LA VOITURE DE MARTHE.

ET...
OUI ?

EXCUSEZ-MOI. JE VAIS VOIR CE QUE TANGUY FAIT LÀ-HAUT ...
JE REVIENS.

TU DORS PAS, TANGUY ?
BAH NON ...

JE... HEU... ON VA CONTINUER COMME AVANT, HEIN LULU ?
"CONTINUER", PEUT-ÊTRE. "COMME AVANT", SÛREMENT PAS.

DEBOUT, LES GARÇONS ! REGARDEZ QUI EST LÀ !
P'TAIN, P'PA, IL EST SUPER TROP TÔT... HÉ ? MAMAN !
HEIN ? MAMAN ?!

SALUT, MES P'TITS LOUPS ! VENEZ M'EMBRASSER !
T'ES REVENUE ! ENFIN !
ON S'EST TRÈS BIEN DÉBROUILLÉS !
J'AVAIS PROMIS, NON ?
SAUF POUR LAVER LES SLIPS !

OUAIS ! SAUF POUR ÇA !
HAHA HA !
LAISSONS-LES TRANQUILLES ...
XAVIER, MORGANE, VOUS NOUS RACONTEZ LA SUITE ?

IL N'Y A PLUS GRAND-CHOSE À RACONTER... TU VEUX PEUT-ÊTRE LES REJOINDRE, MORGANE ?
NON NON. JE RESTE AVEC VOUS.

DONC OUI, LULU NOUS APPELLE. C'EST TRÈS COURT. ELLE NOUS DIT JUSTE QU'ELLE EST REVENUE ET QU'ELLE REPART !

JE NE COMPRENDS PAS TOUT, MAIS, DÈS LA SORTIE DU BOULOT, JE ME POINTE ICI.

IL Y A QUELQU'UN ?
MORGANE ?
JE SUIS DERRIÈRE, SUR LA TERRASSE !

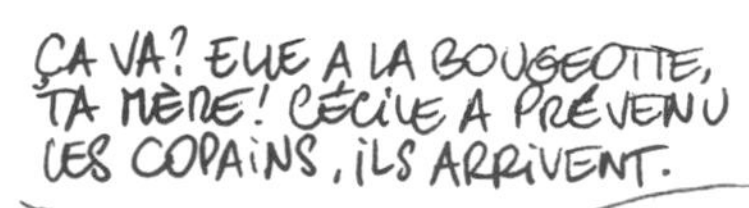
ÇA VA ? ELLE A LA BOUGEOTTE, TA MÈRE ! CÉCILE A PRÉVENU LES COPAINS, ILS ARRIVENT.

TU CROIS QU'IL FAUT QU'ON LEUR RACONTE CE QU'ON SAIT, MAINTENANT ?

JUSQU'ICI, JE PENSAIS QUE C'ÉTAIT LA VIE PRIVÉE DE TES PARENTS, ALORS JE L'AI PAS FAIT. MAIS SI TU CROIS QUE...
MAINTENANT, LÀ, OUI, PEUT-ÊTRE.
SI TU PRÉFÈRES, JE M'EN CHARGE.
ELLE EST OÙ ?

CÉCILE VIENT DE M'APPELER. QU'EST-CE QUI SE PASSE ? OÙ EST LULU ?

ET TANGUY ? IL EST PAS LÀ ?
EH BIEN...
ALORS ?

ON A FAIT AUSSI VITE QU'ON A PU. ELLE VA BIEN ?
MORGANE !

C'EST VRAI QUE MAMAN EST RENTRÉE ?!
HÉ ! ON A MANGÉ CHEZ CÉCILE. C'ÉTAIT SUPER-BON ! MAMAN ? T'ES LÀ ?!

ELLE EST LÀ OU PAS ?
N'ENTRE PAS DANS LE SALON !

POURQUOI ?
IL Y A UNE SURPRISE ?

APPELLE ÇA COMME TU VEUX...

MAIS... HEU... ELLE EST VRAIMENT MORTE ?!
HEU, PARDON...
PUTAIN, MAIS QUI C'EST ?!

SALUT, J'ARRIVE TOUT JUSTE... OÙ EST...
OH MON DIEU !

MERDE. C'EST QUI ?
AUCUNE IDÉE.

JAMAIS VUE.
MORGANE ? TU LA CONNAIS, TOI ?
PAS VRAIMENT.

C'EST UNE AMIE DE MAMAN. ELLE A FAIT UN MALAISE TOUT À L'HEURE. LES POMPIERS SONT VENUS, MAIS....
HÉ, PARLEZ PAS SI FORT, Y A QUELQU'UN QUI DORT !

ELLE DORT PAS, JULES.
ELLE FAIT SEMBLANT ? HÉHO, DEBOUT, M'DAME !
ELLE EST MORTE.
OH ?

J'EN AVAIS JAMAIS VU EN VRAI. ELLE EST VACHEMENT VIEILLE !
TROP BIZARRE !

HÉ PABLO, TOUCHE ! C'EST TOUT FROID !
FAIS VOIR.
ÇA SUFFIT, LES GARÇONS !

QU'EST-CE QU'ON VA EN FAIRE ? L'ENTERRER DANS LE JARDIN ?
DIS PAS DE BÊTISES.
MAMAN, ELLE SAIT QUE SA COPINE EST MORTE ? ELLE EST OÙ ? ET PAPA ?

ILS VONT TRÈS BIEN. ILS VONT BIENTÔT ARRIVER. ALLEZ VOUS METTRE EN PYJAMA. NOUS, LES GRANDS, IL FAUT QU'ON CAUSE EN LES ATTENDANT.
T'ES PAS UNE GRANDE, TOI !

ON VEUT LES ATTENDRE AUSSI !
NON, IL SERA TROP TARD. JE VAIS VOUS EXPLIQUER LÀ-HAUT.
COMMENT ELLE S'APPELLE, LA MORTE ?

XAVIER, CÉCILE, C'EST QUOI, CE BORDEL ?
TU Y COMPRENDS QUELQUE CHOSE ?
PAS TOUT. VENEZ, ALLONS SUR LA TERRASSE.

ALORS ...
PAR OÙ COMMENCER ?

Étienne DAVODEAU

Pour leur réactivité et leur disponibilité, merci aux Futuropolistes.
Pour leurs impitoyables relectures, merci aussi à Joub et à Françoise.

É. D.

Du même auteur

Éditions Futuropolis-Louvre Éditions

Le Chien qui louche

Aux Éditions Futuropolis

Les Ignorants

Rupestres !
en collaboration avec Emmanuel Guibert, Marc-Antoine Mathieu, David Prudhomme, Pascal Rabaté et Troubs

Lulu femme nue
Premier livre

Lulu femme nue
Second livre

Un homme est mort
en collaboration avec Kris

Aux Éditions Charrette

La Gagne
en collaboration avec Jean-Luc Simon

Aux Éditions Dargaud

Les Amis de Saltiel
(3 volumes parus)

Le Constat

Aux Éditions Delcourt

Quelques jours avec un menteur

Le Réflexe de survie

La Gloire d'Albert

Max & Zoé
(5 volumes parus)
en collaboration avec Joub

Anticyclone

Rural !

Ceux qui t'aiment

La Tour des miracles
en collaboration avec David Prudhomme, d'après Georges Brassens

Les Mauvaises Gens

Aux Éditions Dupuis, collection « Aire Libre »

Chute de vélo

Aux Éditions Dupuis

Geronimo
en collaboration avec Joub

Aux Éditions Les Rêveurs

L' Atelier

www.etiennedavodeau.com
www.futuropolis.fr

Éditeur : Claude Gendrot, pour Futuropolis.

Conception et réalisation graphique : Didier Gonord, pour Futuropolis.

Photogravure : Thirdway.

Cet ouvrage a été imprimé en juillet 2019, sur du papier Munken de 130 g,
chez EDELVIVES, Ctra Madrid km 315,7, 50012 Saragosse, Espagne.

Dépôt légal : janvier 2014.

EAN : 978-2-7548-1034-0
790360
N° édition : 357082